Collection Idées for[...]
dirigée par Frédéric Jo[...]

Bon[...]
dans ta carrière
J'ai confiance
Je t'aime
        Joyeux Noël 1998
            Maman xxx

OLIVIERO TOSCANI

La Pub est une charogne qui nous sourit

HOËBEKE

1

Alléluia !
Bébé fait pipi tout bleu !

« J'en prends plein la gueule devant une pub de
     Benetton et je vois par des yeux africains
Éclairé par la flamme d'un incendie à Los
     Angeles
J'ai un visage, pas juste une race, bang bang et j'ai
     toi bébé
Le soleil monte et l'homme descend et la femme
     revient
Une heure ou deux pour éviter la peur
Et on saute à travers les cerceaux, on est divisible
     maintenant, on disparaît simplement
Au-delà des races, on se tient par la main
Puis on meurt dans les flammes en chantant
     " Nous vaincrons "
Ouah ! Qu'est-ce qui se passe ?
Ça va saigner, il n'y a pas de doute
Mais nous y arriverons n'en doute pas
Je te regarde dans les yeux et je sais que je ne te
     tuerai pas
Et je te regarde dans les yeux et je sais que tu ne
     me tueras pas
Tu ne me tueras pas
Tu ne me tueras pas
Au-delà des races tenons-nous par la main
Marchons dans la nuit en pensant que nous
     sommes le monde.

David Bowie,
chanson de l'album *Black tie white noise.*

Alléluia ! entrez dans le meilleur des mondes, le paradis sur Terre, le royaume du bonheur, du succès assuré et de la jeunesse éternelle. Dans ce pays magique au ciel toujours bleu, aucune pollution n'écorne le vert brillant des feuillages, pas le moindre bouton ne gondole la peau rose bonbon des filles, jamais une rayure ne défigure les carrosseries miroitantes des voitures. Sur les routes désertes, des jeunes femmes aux longues jambes bronzées conduisent des berlines rutilantes toutes sorties du lavage automatique. Elles ignorent les accidents, le verglas, les contrôles radars, les pneus qui éclatent. Elles se faufilent dans les embouteillages des grandes villes comme des anguilles, elles ne traversent jamais les banlieues sinistres, elles évitent tous les laveurs de vitre bronzés des carrefours et, silencieuses, elles filent vers des appartements immenses aux meubles hors de prix ou de riches résidences secondaires.

Là-bas, papi et mamie en pleine forme attendent parmi les massifs fleuris, dans un concert de violons enjoués. Les enfants sautillent en riant tout autour, ils débordent de joie grâce à Prosper le gros gentil biscuit et Super Rigolo le gredin électronique. Ils ne pleurent plus, ils n'attrapent jamais de poux ni la scarlatine, ils n'enfilent plus les doigts dans les prises électriques. Leur maman, 20 ans, pas une vergeture, zéro gramme de cellulite, lange en chantant leurs fesses dodues jamais crottées, qui sentent si bon ! Puis, oh ! la jolie fée blonde et bien roulée ! elle lave les sols carrelés en dansant dans une cuisine grande comme une salle de restaurant. Elle transforme grâce à une poudre fabuleuse des montagnes de linge dégueulasse en piles de vêtements neufs. Miracle ! le sang de ses règles devient tout bleu et ne salit plus ses culottes, bleu comme le ciel à la fenêtre, bleu azur comme le pipi de son bébé qui ne fuit jamais.

Un refrain entêtant fredonne : « Le bonheur est là ! »

Pendant ce temps, le monde va de l'avant ! Des banquiers beaux gosses reçoivent papa, leur meilleur ami, dans un bureau paysager et lui promettent la vie en rose. Plus de problème de fin de mois, c'est d'accord pour tous les prêts, les plans de financement, la retraite, l'accession à la propriété. En sortant, papa est illuminé, finis la crise, les licenciements, le chômage, les banques en faillite. Grâce à sa nouvelle carte de crédit, le monde lui appartient, il peut filer en douce à Saint-Tropez ou à Bangkok, pêcher le requin aux Maldives avec fiston, ou se relaxer dans un quatre étoiles plein de filles en string à Guayaquil. Plus d'angoisse, il suffit de glisser la carte magique dans la machine à rêves, rien à débourser. Ravi, il court téléphoner sans compter à maman qui continue son éternelle cure de jeunesse en haute montagne ou sous une cocoteraie dorée mais sans indigène. Puis il traverse le ciel dans un fauteuil volant, servi par des vamps empressées, s'endort dans les nuages et se réveille sans décalage et rasé de frais au bout du monde. Maman, la sosie de Claudia Schiffer, les cheveux toujours propres et soyeux, se jette dans ses bras en robe de créateur. Il s'enveloppe avec elle dans des draps de soie noire pour boire le café de la passion, sans doute le meilleur du monde, et goûter à tous les produits nommés Désir... avant de se rouler avec elle sur des matelas aphrodisiaques tandis qu'une nouvelle chansonnette susurre avec entrain : « Tout va bien », « Le sida ne passera pas par moi ».

Au réveil, maman passe sur son visage une crème miraculeuse d'une douce main embellie par les produits vaisselle, aux longs ongles peints jamais cassés. Les rides s'effacent par enchantement, les lèvres brillent et s'ourlent comme celles d'une star, la cellulite disparaît sous ses doigts, ses seins s'affermissent et sautillent vers le ciel bleu, les fesses s'arrondissent, elle retrouve son corps svelte de jeune fille et ses jambes de top model. Papa, tout fringant grâce à ses cigarettes de cow-boy et son parfum au nom Viking, la désire comme au premier jour. Abolis le stress et la fatigue, tous baignent dans l'amour, les yeux brillent, les enfants courent faire leurs devoirs en exultant.

Dans l'immeuble postmoderne d'à côté, des golden-boys rasés à la perfection lèvent le poing dans les bureaux bleutés et, des lofts géants, ils faxent contrats et projets formidables à leurs clones en costume cravate du bout

11

du monde. Leur boss au grand sourire — il ressemble à papi ! — les félicite et les serre dans ses bras. Le conseil de direction, plein de belles femmes en jupe courte, applaudit. Pas de chef autoritaire dans cette commune démocratique, pas de grève, pas de syndicat ni de sordides histoires de salaire, d'augmentation ou de rivalité de pouvoir. L'utopie au quotidien ! On ne prend pas le métro ni un train bondé pour aller travailler dans ces entreprises idéales pleines de coûteux meubles design, mais des coupés GTI, des motos carénées comme des suppositoires et des turbos. À quoi bon s'inquiéter ? Des quadragénaires bronzés attablés à des bureaux directoriaux s'occupent de tout et vous assurent contre tous les risques, toutes les maladies — chut ! ce mot est interdit ici. Ils rembourseront sans rechigner vos dépenses de santé et vous préparent une merveilleuse retraite dans un manoir campagnard en kit avec fausses poutres et cuisinières à l'ancienne. Que demande le peuple ? Mais rien justement ! Sur cette planète extraordinaire, la vie est belle.

Ce monde idyllique, vous l'avez reconnu, c'est l'univers mièvre et stupide de la pub, qui nous infantilise depuis bientôt trente ans.

BASTA COSI !

2

Crime
contre l'intelligence

« Que peut faire un individu pour empêcher que cette planète ne s'autodétruise ? Je ne vois qu'une solution : il faut que tout le monde s'engage. Et c'est là que la responsabilité de Benetton domine d'une bonne tête tous les autres. Même si je ne me fais pas d'illusion à leur sujet. »

Spike Lee,
cinéaste,
New York.
Interview publiée dans
Rolling Stone Magazine.

Je veux ouvrir le procès de Nuremberg de la publicité.
Sur quelles charges ?
CRIME DE GASPILLAGE DE SOMMES COLOSSALES.
CRIME D'INUTILITÉ SOCIALE.
CRIME DE MENSONGE.
CRIME CONTRE L'INTELLIGENCE.
CRIME DE PERSUASION OCCULTE.
CRIME D'ADORATION DE LA NIAISERIE.
CRIME D'EXCLUSION ET DE RACISME.
CRIME CONTRE LA PAIX CIVILE.
CRIME CONTRE LE LANGAGE.
CRIME CONTRE LA CRÉATIVITÉ.
CRIME DE PILLAGE.

CRIME DE GASPILLAGE COLOSSAL. D'après le rapport officiel publié par l'AACC[1] en janvier 1994, la publicité représente pour les entreprises européennes un budget de 330,5 milliards de francs investis dans les grands

1. Association des agences conseil en communication. Syndicat professionnel français.

17

médias — presse, radio, télé —, 406,7 milliards aux États-Unis, 172 milliards au Japon. Ce sont les chiffres de 1992, pendant la crise. Totalisés, ils représentent la moitié de la dette extérieure de l'Amérique du Sud, toute la dette du Moyen-Orient ou de l'Afrique du Nord telles qu'elles sont estimées par le rapport annuel *l'État du monde 1992*[1]. Dans chaque pays occidental, ce pactole équivaut à 1 % du PNB, soit le budget moyen alloué aux ministères de la Culture. Quatre-vingt-cinq milliards de francs investis en pub en Allemagne pour 92,64 milliards en Angleterre, 48,7 milliards en France selon les sources AACC. Il faut ajouter à ces sommes gigantesques toutes celles investies dans le marketing direct, la promotion dans les salons, les relations publiques, les foires, les catalogues, les guides, qui drainent des masses équivalentes.

Forte de ce financement colossal, la pub tapisse désormais chaque coin de rue, chaque place historique, chaque square, les arrêts de bus, le métro, les aéroports, les gares, les journeaux, les cafés, les pharmacies, les tabacs, les briquets, les cartes de téléphone, elle coupe les films à la télé, envahit les radios, les magazines, les plages, les sports, les vêtements, jusqu'aux empreintes des semelles de nos chaussures, tout notre univers, toute la planète ! Impossible de faire un pas, d'ouvrir une radio, un poste, un journal, sans tomber sur mama pub. Elle est partout. C'est Big Brother, toujours souriant !

Je trouve effrayant que tout cet immense espace d'expression, d'exposition et d'affichage, le plus grand musée

---

1. *L'État du monde*, Édition la Découverte, Paris.

vivant d'Art moderne, cent mille fois Beaubourg et le musée d'Art contemporain de New York réunis, ces milliers de kilomètres carrés d'affiches placardées dans le monde entier, ces panneaux géants, ces slogans peints, ces centaines de milliers de pages de journaux imprimées, ces millions d'heures de télévision, de messages radio, restent réservés à cette imagerie paradisiaque imbécile, irréelle et trompeuse. Une communication sans aucune utilité sociale. Sans force. Sans impact. Sans sens. Sans autre message que l'exaltation grotesque d'un mode de vie yuppie la boum, bien gentil et enjoué.

Les publicitaires, qui prétendent posséder la « nouvelle science de la communication », se déclarent depuis trente ans capables de sublimer le gigantesque pactole des investisseurs en un magnifique art de vendre. En vérité, grassement entretenus par des annonceurs longtemps dupés, ils continuent à tapisser la planète entière avec la même imagerie bêtifiante. Voyez en Europe, les derniers films Peugeot, avec leur 605 aux chromes brillants conduites par des jeunes cadres conquérants. Vous les avez vus cent fois en dix ans, quelle que soit la marque, ces bagnoles glissant dans le soleil couchant. Quel cliché ! Aucune invention. Pourtant, on finance encore ce « radotage ». Peugeot, selon le très sérieux magazine américain *Media International* (juillet 1994) et le rapport LNA/Rome[1], a dépensé 790 millions de dollars de publicité dans le monde en 1992, 770 millions de francs en France, en 1993, pour les seuls grands médias.

1. Leading National Advertisers/Rome reports.

Renault, 593 millions de dollars mondiaux en 1993, 868 millions de francs en France.

Ford, 1 milliard de dollars en 1992 pour sa communication dans le monde entier.

Fiat, 868 millions de dollars.

Honda, 705 millions de dollars.

Qui finance toutes ces campagnes, tous ces films équivalents, présentant toujours les mêmes chromos ?

Mais nous, les consommateurs !

L'investissement colossal de la pub est répercuté dans le prix du produit.

La pub, ne l'oubliez jamais, est le premier impôt indirect.

CRIME D'INUTILITÉ SOCIALE. Dites, pourquoi les grandes compagnies automobiles n'ont-elles jamais lancé de véritables campagnes de communication contre l'ivresse au volant, les dingues de vitesse, les accidentés du week-end, la mort stupide en voiture ? Pourquoi ont-elles ignoré si longtemps la pollution urbaine — et celle de la couche d'ozone — par les gaz d'échappements, l'inquiétante saturation du parc auto dans les grandes capitales embouteillées, envahies par les parkings et l'oxyde de carbone ? Pourquoi la publicité, la « communication » de ces compagnies n'abordent-elles jamais les grands problèmes de société soulevés par la voiture envahissante ? Le public serait trop bête pour comprendre ?

« Pendant l'agonie, la vente continue », déclarait en 1994, par voie de presse, un malade du sida, sous une photo de son visage amaigri. Il entendait protester contre mes publicités qui évoquaient le drame du sida. Il ne comprenait pas que je puisse utiliser la formidable capacité d'affichage de la publicité pour révéler cette tragédie, quand personne n'osait montrer les malades. Eh bien, je partage l'idée terrible de ce slogan, qui en fait s'adresse à toute la publicité mensongère, sexy, subliminale.

Pendant l'agonie des accidentés de la route, la vente doit continuer.

Pendant l'agonie des cancéreux du poumon, de la langue, de l'œsophage, des suites d'une vie passée à fumer des cigarettes de western, la publicité pour le tabac doit continuer.

Pendant l'agonie des millions d'alcooliques européens, américains, qui ruinent le système de santé de leur pays, envahissent les lits d'hôpitaux, remplissent les prisons, la vente doit continuer et la pub nous exciter avec de belles filles enlaçant des bouteilles.

Les publicitaires ne font pas leur métier : communiquer. Ils manquent d'audace et de sens moral. Ils ne réfléchissent pas au rôle social, public, éducatif, de l'entreprise qui leur confie un budget. Ils préfèrent dépenser des centaines de milliers de dollars pour faire galoper quelques chevaux derrière une Citroën, sans se soucier de tous ceux qui font du rodéo sur les routes. Ils ne veulent surtout pas penser, informer le public, de crainte de perdre leurs annonceurs. Leur responsabilité est immense. Il leur incombe de réfléchir à la communication d'une marque au-delà du seul marketing. C'est leur rôle de faire avancer ce système publicitaire qui tourne en rond, appelle à toujours consommer plus et ne convainc plus. La condition humaine est inséparable de la consommation, pourquoi la communication qui va avec serait-elle superficielle ?

Une entreprise italienne comme Fiat dépense des centaines de millions de dollars à travers le monde pour sa publicité. À ce jour, la réputation de Fiat continue d'être déplorable. Personne ne croit que ses voitures sont fiables, les Allemands les imaginent comme des casseroles de série B avec des moteurs poussifs et une carrosserie qui s'effondre. Pourtant les Fiat sont de bonnes voitures, elles devraient rivaliser avec les autres européennes. Mais non, leur communication n'arrive toujours pas à rehausser leur image de marque, elle continue à présenter ces éternels clips avec chromes astiqués et petites Italiennes sexy. Personne n'y croit.

Imaginez maintenant que Fiat décide de se lancer dans une communication plus sociale, par exemple en direction des toxicomanes et leurs familles. Ce, tant en Italie qu'au niveau international. Qu'une multinationale dépense une partie de son immense budget publicitaire pour mener campagne sur ce problème crucial, afin de sensibiliser l'opinion au financement des programmes de méthadone, d'informer le public, créerait une dynamique sans précédent. Les affiches, les spots télévisés offriraient enfin des informations consistantes, des campagnes intéressantes, et cesseraient de nous matraquer avec leurs sempiternels clichés. La réputation de Fiat en sortirait grandie. Bref, la publicité des entreprises pourrait éduquer, émouvoir, révéler des talents et des artistes.

Aujourd'hui, toutes les voitures se ressemblent, certains constructeurs envisagent même de monter en Europe une chaîne unique de moteurs pour plusieurs marques. Alors ? Comment communiquer sa différence sinon par l'engagement, une vision du monde, des prises de position, de la créativité ?

CRIME DE MENSONGE. La publicité dépense des dizaines de milliers de dollars pour faire poser une mannequin star afin de vendre des eaux de toilette aux petites amoureuses sans fric et aux secrétaires romantiques du monde entier. Elle leur fait la retape pour un rêve bourgeois inaccessible. La publicité ne vend pas des produits ni des idées, mais un modèle frelaté et hypnotique du bonheur. Cette ambiance oisive et gourmande n'est jamais que le plaisir de vivre selon les normes idéalisées des consommateurs riches. Il faut séduire le grand public avec un modèle d'existence dont le standing exige de renouveler le plus souvent possible sa garde-robe, ses meubles, sa télévision, la voiture, les robots ménagers, les jouets des enfants, tous les objets usuels. Même quand c'est inutile. La pub n'a de cesse de le répéter en chansons et en slogans : portez ces nouvelles montres de vedette de cinéma, utilisez ce déodorant aux effluves sylvestres et vous ferez partie de l'élite sociale, connaîtrez la « vraie vie », découvrirez « le goût de l'essentiel » et resterez jeunes, riches et beaux. Elle ressasse ces simplismes jusqu'à la nausée. Voyez le dernier clip Cartier (1994), on dirait que la publicité s'est amusée à se parodier elle-même. Tout y est : l'athlète aux abdominaux en tablettes de chocolat, la fille sublime en maillot échancré, le bateau rapide qui file sur les flots pétillants, le baiser ensoleillé mais chaste de deux idoles. Ici encore, combien d'argent claqué pour offrir les mêmes effets « jeunes et riches » ! Voyez comme les euphoriques

23

films Coca-Cola — 798 millions de dollars de budget publicitaire mondial en 1992 d'après le rapport LNA/Rome — ressemblent aux allègres clips Pepsi-Cola — plus d'un milliard de dollars investis en 1992 —, eux-mêmes les clones des pubs « fraîcheur de vivre » d'Hollywood chewing-gum. Ah ! que c'est bon d'avoir 20 ans, de rouler en 4 x 4 au bout du monde et de sauter dans l'eau pétillante avec des pépées canon en souriant à grandes dents !

La publicité offre à nos désirs un univers subliminal qui insinue que la jeunesse, la santé, la virilité comme la féminité dépendent de ce que nous achetons. Un monde tout sourire où dialogues enjoués et rengaines sous-entendent ces conseils sournois : tu perds tes cheveux parce que tu n'utilises pas cette lotion aux extraordinaires « extraits naturels », tes gencives saignent et ne sont pas « en béton » car tu te trompes de dentifrice, tu ne trouveras pas de travail si tu n'as pas ce rasoir pour gagnant et cet ordinateur portable, tu enlaidis et passes à côté de la « vraie vie », de « la vie pleine de vie », de « la vie authentique », de « la vie à pleines dents » si tu n'achètes pas ce fromage maigre insipide ou ce soda gazeux sucré noirâtre.

CRIME CONTRE L'INTELLIGENCE. La pub nous propose un monde de niaiseries enthousiastes de plus en plus fatiguées en ces temps de crise économique et spirituelle. À force de voir ces femmes fatales intouchables, ces appartements sur terrasse plantée, ce monde de riches idiots, le public se lasse. À entendre sans cesse fredonner les mêmes chansonnettes sur la joie de vivre, il s'énerve. Toutes les enquêtes de médiamétrie et de sociologie le constatent : le consommateur devient publiphobe, il zappe pendant les spots, il tourne les pages de pub des journaux, il ne mémorise plus, la pub devient transparente.

« La publicité vend du bonheur », répètent tous les grands penseurs de la communication, les stratèges de la Young & Rubicam ou la McCann Erickson, les théoriciens d'Euro-RSCG, tous. Le bonheur, cela se vend donc ? S'achète ? La pub ergote depuis trop longtemps sur le bonheur, elle n'a que ce mot-là à la bouche alors que la crise frappe et que les populations s'inquiètent de leur avenir.

Le bonheur si je veux (Club Med), *La vie est belle* (Airwell), *Quel bonheur !* (Panasonic), *La boîte à bonheur* (Quality Street), *Le bonheur dans votre jardin* (Honda), *Un goût de paradis* (Bounty) etc., etc.

CRIME DE PERSUASION OCCULTE. La publicité est un miroir aux alouettes. À force de vanter le plaisir de consommer comme des imbéciles heureux, elle finit par nous rendre anorexiques. Le public, qui trime, peine à boucler ses fins de mois, effrayé par les licenciements, le chômage, le sida, la drogue, se persuade chaque jour un peu plus qu'il n'arrivera jamais à vivre comme dans les pubs. Cela commence par le désespérer. Puis il comprend que cette publicité, faite pour vendre, en vérité l'achète. La pub excite ses désirs, séduit le gogo, lui invente des besoins, le culpabilise. Elle nous vampe, elle nous « allume » selon des techniques éprouvées. Elle nous achète nos désirs, comme on achète des voix en poli-

25

tique. Des grands patrons d'agence — Publicis, Saatchi and Saatchi Advertising, J. W. Thompson, Euro-RSCG, etc. — l'avouent sans honte dans leurs écrits. Je cite : « La mission de la pub est d'accompagner le consommateur dans ses attentes enfouies. En les faisant naître, elle crée l'envie, seul moteur de notre société de consommation à la dérive » (Jacques Séguéla, Euro-RSCG).

Mais, chers grands penseurs, si la consommation est à la dérive, c'est aussi parce que la pub mystifie le public depuis trop longtemps.

Elle le trompe sur la marchandise.

Elle le chauffe pour qu'il débourse le prix fort.

Elle lui ment.

Elle ne peut perpétuellement éviter la question décisive : pourquoi consommer plus en ces temps de crise ? Quand le simple bon sens nous conseille de ne pas changer de chaussures comme de chaussettes. Quand le public inquiet cherche la qualité, le robuste, le durable et comprend l'idiotie de la consommation à tout prix.

La publicité doit repenser toute sa communication, sa philosophie et sa morale, sous peine de crever dans ses falbalas. Le capitalisme doit s'adapter à la nouvelle donne : la société de consommation ne consomme plus.

Pourquoi, à votre avis, les agences de pub ferment-elles les unes après les autres, se concentrent, font faillite ? Pourquoi parle-t-on de crise mondiale de la pub ? Parce que la pub ne se renouvelle plus, elle ne réfléchit plus.

CRIME D'ADORATION DE LA NIAISERIE. Durant les années quatre-vingt, celles du culte de la réussite à tout prix, du fric et du « look », celles des « gagnants » présentés par plateaux entiers à la télévision, la publicité, toujours à la traîne, toujours caricaturale, remplissait les journaux et les clips de scènes et de slogans « gagneurs ». Voyez comme ils semblent ridicules et mensongers aujourd'hui...

BNP, c'est gagner, Rejoignez ceux qui gagnent (Computer center), *L'empreinte des gagneurs* (Goodyear), *La mode est aux gagneurs* (Hom), *La technique qui gagne* (Michelin), *Né pour gagner* (NCR informatique), *La force de gagner* (Sanyo), *Les machines à gagner* (Sharp), *Votre argent m'intéresse,* etc., etc.

« Né pour gagner » ! Dix ans plus tard, toute cette frénésie de la gagne, de l'argent fou, de la réussite plaqué or, ces spots pleins de yuppies et de golden-boys, paraît tellement fausse, grotesque, au regard de la situation actuelle. Que de niaiserie, d'esprit suiviste ! Il y eut, ces années-là, des millions d'aspirants « conquérants » hypnotisés par la pub. Si peu d'élus.

Et combien de dupes ?

CRIME D'EXCLUSION ET DE RACISME. Dans les campagnes de propagande nazie, des cohortes de belles et beaux éphèbes blonds couraient aussi dans les campagnes riantes et les villes aseptisées. Ils se jetaient à l'eau en riant, sportifs, sains, musclés, jeunes, en bandes sympathiques... heureux. Les années trente furent celles du futurisme, de la mode, de la gymnastique, des stades, des Jeux olympiques présidés par Hitler. Les nazis inventèrent la propagande publicitaire de la joie aryenne avec des films et des séries photos vantant un style de bonheur scout, corps sculpté et dénudé, beauté blonde, joie d'être ensemble, grandes émotions simples, culte du naturel et de l'authentique, ciel sans nuage, voitures puissantes. Il fallait ressembler à ces images idylliques. La propagande se chargeait de les diffuser partout, cinéma, magazine, affiches, tracts, comme aujourd'hui la pub. Un logo sombre et graphique symbolisait tout cet univers fasciste, le svastika. Un symbole graphique.

Évidemment tous ceux qui différaient du modèle, les Juifs, les ouvriers syndicalistes, ceux qui détestaient la gymnastique et les activités collectives, les tsiganes, les intellectuels, les psychanalystes, les socialistes, les pacifistes, etc., se sentaient en trop. D'ailleurs, on leur a vite fait comprendre ! On trouve la même imagerie d'Épinal bienheureuse dans la propagande communiste des grands jours. Dans l'URSS des années trente, des prolétaires et des techniciens rieurs et vigoureux posaient dans d'énormes usines idéalisées dignes du Bauhaus et s'étreignaient avec virilité pour mieux construire l'avenir radieux, comme aujourd'hui dans les publicités pour les grandes banques ou le dernier matériel informatique. En Chine communiste, des fillettes aux dents luisantes, aux bonnes joues de porcelaine, entouraient le président Mao dans toutes les occasions, chantant des niaiseries, dansant dans les champs ensoleillés et souriant sans arrêt.

Ce monde utopique inquiétant, sélectif et raciste, se perpétue avec la publicité. Allez trouver dans une pub d'aujourd'hui des pauvres, des immigrés, des accidentés, des révoltés, des casseurs, des petits, des inquiets, des gros, des bourrelets, du spleen, des sceptiques, des chômeurs, des boutonneux, des drogués, des embouteillés, des malades, des pays du quart-monde, des fous, des artistes hantés, des excessifs, des braillards, des herpétiques, des provocants, des grands problèmes sociaux, une crise, des désastres écologiques, des explosions de la jeunesse et une tremblote des vieux ! On les a remplacés par Claudia Schiffer, le mannequin muet mieux payé que les plus grandes actrices de l'histoire du cinéma, omniprésente, envahissante, à la une de tous les journaux de charme, tous les magazines de concierge. Pourquoi elle, cette grande blonde asexuée, excitante comme une machine à laver, au grand sourire fade ? Ce n'est pas une question de personne. Elle incarne la perfection de la beauté blonde, aryenne, rose et saine, rasée de près, l'idéal de la belle fille du Nord, de la beauté blanche européenne, à l'érotisme froid et bien élevé, un rêve de la hitlerjungend !

CRIME CONTRE LA PAIX CIVILE. À trop vouloir nous vendre le bonheur, la publicité finit par fabriquer des cohortes de frustrés. À force de susciter des envies qui seront déçues, la publicité manque son but et façonne des déprimés et des délinquants. À force d'être vampés soir et matin, ceux qui rament pour joindre les deux bouts, les petits salaires, les revenus minimums, les emplois menacés, finissent par se sentir rejetés de la société. Des ratés. Leurs enfants les pressent de leur acheter ces game boy multicolores, leurs femmes pleurent de ne pas posséder cette crème à la pulpe de soie fruitée, ce diamant éternel. Et ils se rongent les sangs.

La pub ne vend pas du bonheur, elle génère la déprime et l'angoisse. La colère et la frustration.

29

Des études de psychologie sociale faites en Europe à la fin des années quatre-vingt dans les lycées et les collèges techniques, sur les phénomènes de « dépouille » — les vols de blousons, de chaussures, de jeans, etc., à la sortie des établissements scolaires —, montrent que les élèves rackettent des marques bien précises. Pour les jeunes cervelles des écoliers, posséder telle ou telle tenue vantée dans les pubs, c'est appartenir au monde des élus. Sans cette veste en cuir de style américain, sans ces baskets réglables, finie la frime, adieu la vie ! Un sentiment d'exclusion et de malaise les ronge. Le gosse se croit étranger du cercle des lycéens qui comptent, ceux que regardent les filles, ceux qui possèdent les signes extérieurs de la richesse et du « look ». Alors, quand les parents n'ont pas les moyens, les enfants les plus frustrés braquent les autres élèves ou les agressent à la sortie des lycées chics. Quand ils ne cassent pas les vitrines pour rafler les marques qui les tentent, comme cela s'est passé pendant les émeutes de Londres contre la « poll tax » sous Margaret Thatcher, dans les manifestations lycéennes françaises de 1993-1994, ou pendant les affrontements de Los Angeles de 1993 suite à l'affaire Rodney King. Une émeute par semaine en France, en Espagne, en Italie, avec bris de vitrines, destruction des symboles de la richesse pendant l'année 1994 d'après l'hebdomadaire français le Point et la bibliothèque des Émeutes (Paris).

Il y a quelques années, en Italie du Nord, un jeune meurtrier, Pietro Maso, a tué ses parents pour s'acheter des produits de luxe. Au procès, on a appris qu'il connaissait par cœur vingt-sept parfums d'homme. Il disait savoir parfaitement avec quelle marque il faut s'habiller et quelle voiture conduire, pour avoir du succès. Où a-t-il appris tout ça sinon dans la pub ? Il ressemble au héros d'*American Psycho*, le terrifiant roman de Brett Easton Ellis, qui met en scène un « serial killer » yuppie new-yorkais pour qui le monde entier n'est qu'un gigantesque présentoir de marques, une immense et excitante pub.

CRIME CONTRE LE LANGAGE. Les grosses ficelles de la pub crèvent les yeux dès qu'on s'intéresse à ses slogans. Simplets. Répétitifs. Pauvres. Abrutissants. C'est toujours les mêmes recettes, pour servir la même cuisine. Ainsi une pub se doit de vanter la *qualité* du produit qu'elle promotionne. C'est son obsession, « coller » au produit. Vous avez dit « qualité » ? Nos formidables « créatifs » de la pub — remarquez bien qu'on dit « créatif » et pas « créateur » — déclinent aussitôt le mot à toutes les sauces. Ils y vont par tombereaux, avec leurs gros sabots.

Qualité d'abord (Hoover), *La qualité* (Amstrad), *La qualité c'est la vie* (Whirlpool), *Le meilleur de la qualité* (Bekaert), *La qualité au juste prix* (Bauknecht), *Symbole de qualité* (Bolex), *Nous distribuons la qualité* (Casino), *Goûtez la qualité* (Chambourcy), *La qualité tout de suite* (Daewoo), *La qualité passe à l'action* (Ford), *La qualité qui s'entend* (Kenwood), *La qualité est toujours à la mode* (Levis), *La qualité sur toute la ligne* (Nissan), *La passion de la qualité* (Volvo), etc., etc.

Que d'inventions ! Pour enfoncer le clou, des fois que nous n'aurions pas compris, nos grands novateurs déduisent qu'une marque qui offre une telle qualité le doit —

31

tiens donc ! — à son expérience du métier. Vous avez dit « expérience » ? Et voici le second tombereau de slogans consacrés par nos génies des agences.

L'expérience et l'innovation (Burroughs informatique), *Une expérience irremplaçable* (Canigou), *L'expérience ça ne s'invente pas* (JVC), *L'expérience des techniques d'aujourd'hui* (maisons Phénix), *L'expérience électrique* (Sauter), *L'expérience avion* (Pan Am), etc., etc.

CRIME CONTRE LA CRÉATIVITÉ. Continuons ce petit guide de la pub mode d'emploi. On fait la réclame d'un produit de qualité pour qui ? Mais, vous l'auriez deviné, pour « vous » chers consommateurs. C'est là un des plus vieux *câbles* de la pub, qui date de l'époque des remèdes de bonne femme : la publicité fait preuve de sollicitude envers celui qui achète. Elle chante que tout cet effort de production de biens de consommation s'adapte à vos besoins profonds, suit vos envies secrètes. Elle s'adresse non à la masse, mais à la personne. Vous n'achetez pas, c'est le produit qui répond à vos attentes. La dépense en devient une formalité, puisque c'est « vous » qui en rêviez. Ce truc grossier est chanté sur tous les tons.

J'en ai rêvé, Sony l'a fait, Toujours avec vous (AGF), *La technique proche de vous* (Brandt), *Avec vous avant tout* (Burroughs), *Votre partenaire* (Crédit lyonnais), *On pense comme vous* (Daewoo), *Proche de vous* (Havas voyages), *Toujours avec vous* (Hewlett Packard), *On vous suit* (Mondiale assurances), *On pense à vous tous les jours* (Monoprix-Uniprix), etc., etc.

Déjà, en se contentant de ces trois formidables expressions, fulgurantes d'invention, « qualité », « expérience » et « vous », on rassemble un bon tiers des slogans publicitaires. En les combinant de façon aléatoire, on peut sans se tromper annoncer un bon tombereau de slogans à venir, s'ils n'existent déjà : *Le savoir qualité, La qualité de l'expérience, L'expérience pour vous, Faites votre expérience, À vous la qualité à nous l'expérience, La qualité proche de vous, L'expérience de la qualité, La qualité c'est vous, Vos désirs c'est notre qualité, Vous c'est nous !, Grande qualité et petits prix,* etc., etc.

Avouez qu'à côté, Bouvard et Pécuchet semblent des monstres d'intelligence.

Ajoutez à ces quelques mots clefs les trois recettes fatiguées de cette grande science publicitaire, et vous couvrez bientôt la moitié de sa fameuse « créativité conceptuelle », une « base line » quasi universelle, bonne pour tous les râteliers.

Il y a le coup de mettre des « plus », des « mieux », des « meilleur » et des « vrai » partout.

Arthur Martin vous en donne plus, Quand on est mieux on est meilleur (Atal), *Y'a que ça de vrai* (Miko), *Le vrai goût de l'Amérique* (Heinz), *Un whisky, un vrai* (Johnny Walker), *La vraie valeur des choses* (Roche-Bobois), etc., etc.

Il y a le truc de l'opposition dans les termes.

Le plus petit des grands plaisirs (Le sucre, campagne française), *Le plus grand des petits plats* (Flodor), *La petite qui rivalise avec les plus grandes* (Peugeot), *Petit à petit on devient moins petit* (Danone Kid), *La tendresse à l'état brut, La force tranquille,* etc., etc.

L'astuce du mot drolatique inventé à partir du produit. *Croustifondant* (Verdake), *Jextraordinaire* (tampon Jex), *Ça me pulpe !* (Orangina), *Avec Carrefour, je positive !*, *Quand c'est bon c'est Bonduelle, Toutou rikiki maous kosto* (OMO), *Prosper et youp la boum !, Kinder Bueno, c'est Kinder et c'est bueno !, Gagner c'est sportmidable* (Loto sportif), etc., etc.

CRIME DE PILLAGE. Dès qu'un grand film sort, un courant d'idées s'impose, une actualité secoue les esprits, un artiste fait une percée, voyez les publicitaires qui se précipitent. Ils copient tout, adaptent tout, récupèrent tout. Les féministes font du bruit dans les années soixante-dix ? Aussitôt Moulinex libère la femme. L'écologie devient une force politique, fait parler d'elle en Europe et aux États-Unis début 1990 ? Toutes les pubs internationales se remplissent de riants vallons et de collines verdoyantes, des maisons de campagne poussent dans tous les clips des compagnies d'assurance et Chambourcy, Nestlé, Yoplait, soudain, ont faim de nature... tandis que les volcans et les montagnes du monde entier filtrent les fontaines de jouvence des eaux minérales et que la forêt elle-même, malgré les pluies acides et la déforestation, produit le « rétinol naturel » des crèmes antirides. Car « si la nature ignore le temps qui passe, pourquoi pas vous ? »

La pub s'est faite une spécialité de piller les mouvements d'idées et musicaux, la presse, le cinéma, en les aseptisant et les vidant de tout contenu. Pour une pub Dim, osant lancer la minijupe et défier les mœurs, combien d'âneries ? Combien de mauvaises copies ? Spielberg réalise *les Aventuriers de l'arche perdue* ? Les clips en font des parodies à n'en plus finir, avec des aventuriers de tout poil et de tout âge. *Neuf semaines et demie* propose quelques séquences de séduction torride ? Les voilà copiées pour vendre des lingeries, du café, tout ce que vous voulez. La plupart des scènes célèbres des films nourrissent d'innombrables clips et photos publicitaires. Les réalisateurs de pub, payés des fortunes quand le cinéma meurt, se servent sans honte, reprennent les mêmes cadrages, les mêmes plans, le style, jusqu'à la lumière. Une fameuse scène sexy de Russ Meyer, avec ses filles sauvages en short et débardeur plantées dans un no man's land, a été volée et parodiée pour vendre des voitures, des glaces, des motos. Le grand photographe Elliot Erwitt a fait un procès à une marque de bière célèbre qui avait plagié sa célèbre photo des toiles de fauteuil de plage soulevées par un coup de vent. Un réalisateur de pub ose un tremblé, une image floue — c'est très à la mode en pub ces temps-ci, le flou artistique sur fille en culotte, comme l'aigle qui plane —, le petit milieu, les journaux médias crient au génie pour appâter le client et augmenter les budgets.

Car la pub est une mafia.

Quant aux quelques rares novateurs de la publicité, photographes, réalisateurs, Avedon, Ridley Scott, Jean-Paul Goude, j'en oublie, ils sont copiés par tous les autres. Le style « Un café nommé désir » doit beaucoup à Helmut Newton. Le lancement de la Golf, avec son souci d'honnêteté, l'absence de fausse promesse, rappelle fort les campagnes du légendaire Bill Bernbach pour la Coccinelle... il y a trente ans. Rien de nouveau sous le spot ! La campagne « Perrier c'est fou » a été pompée par Badoit. « Coca-Cola c'est ça ! » ressemble beaucoup à « Triumph c'est ça ! ». Le clip « American express » est le clone du spot « Visa ». « La confiance » qu'inspire Darty vaut celle des pneus Goodyear. « La confiance, un point c'est tout », déclare Blaupunkt, « Un point c'est tout ! » s'écrie Seven Up.

Quant au paradis, on le trouve autant sous sa douche qu'en avion ou chez le boulanger.

Un goût de paradis (Bounty), *Un avant-goût de paradis* (Air Lanka), *Contient du paradis* (Tahiti douche).

Aujourd'hui les produits se ressemblent de plus en plus, les céréales du matin ne diffèrent pas d'une marque à l'autre, ni les yaourts à la pulpe, ni les laitages et les steaks hachés, encore moins les légumes surgelés, les cirages liquides ou les caméscopes. Nous sommes entrés dans l'ère du « me too product », avec des marchandises de qualité égale, qui se copient sans cesse. Les clients et leurs publicitaires dépensent des millions de dollars pour des études de marchés, des « focus groups », des pannels, etc., et à la fin toutes les publicités se ressemblent : Avis et Hertz, ELF et Total, Ford et General Motors...

Ce sont les publicités et l'attitude sociale, créative, la fantaisie ou la philosophie des entreprises qui devraient faire la différence. Or celles-ci rivalisent à qui mieux mieux, pire, dans le même registre lénifiant. Dès que vous allumez la télévision, c'est à devenir fou, toute cette soupe insipide.

La pub est une charogne parfumée. On dit toujours des morts : « Il est bien conservé, on dirait qu'il sourit ». Pareil pour la publicité. Elle est morte, mais elle sourit toujours.

3

La reine d'Angleterre toute noire

« Benetton me fait horreur dans son esprit comme dans sa démarche, je boycotte ses magasins et, franchement, je n'ai pas envie de lui consacrer une ligne. »

Françoise Giroud,
éditorialiste,
ancien délégué à la Condition féminine,
Paris.

(Lettre envoyée à Chantal Michetti,
directrice du musée d'Art contemporain
de Lausanne)

En hiver 1994 je suis allé faire les images du catalogue Benetton à Gaza, dans les premiers territoires de la nouvelle Palestine indépendante. Je poussais encore plus loin la logique des catalogues précédents : faire poser des gens qui ignorent tout de la mode, comme les paysans du village où j'habite maintenant, les gens des petites villes des pays de l'Est ou de Turquie, ou encore les paysans d'un petit village de Mandchourie. Maintenant, je veux montrer les visages de ceux dont le monde entier dissimule l'existence. Aujourd'hui les Palestiniens. Demain les Coréens du Nord, les Indiens, les Yéménites ou les Gitans. Tous les peuples oubliés.

Quand je suis arrivé à Tel-Aviv, avec les caméras, les vêtements, il a fallu demander des autorisations pour passer à Gaza. Certains Israéliens se montraient jaloux, mécontents que je veuille photographier les Palestiniens. Je leur disais : « Mais les Palestiniens sont les Juifs d'aujourd'hui, sans terre, éparpillés par une diaspora ». C'est en discutant avec eux que j'ai compris que de très nombreux Israéliens étaient pacifistes, surtout les jeunes, et absolument pas hostiles à ma démarche.

Une fois à Gaza, nous avons rencontré madame 'Arafãt et visité son orphelinat. Cinquante gosses vivent là, les enfants de Palestiniens tués au combat ou dans les massacres de Sabra et Chatila. Benetton leur fera une donation les jours suivants. Nous nous sommes expliqués avec madame 'Arafãt. Nous voulions photographier les gens de la rue, chez eux, comme les habitants à part entière d'un pays enfin reconnu. C'est ce qui me semblait le plus intéressant : que la Palestine soit montrée comme un pays normal. Nous sommes allés un peu partout, comme des reporters. Plusieurs fois, nous avons été interrompus par le Hamas et les extrémistes religieux. Ils nous tournaient autour, avec les kalachnikovs. Ils ne comprenaient pas qui nous étions. Le lendemain, ils organisaient une grosse manifestation pour forcer Yasser 'Arafãt à libérer les militants du Hamas emprisonnés par la police palestinienne. J'expliquai partout que je voulais photographier des scènes de vie quotidienne, ceux qui soutenaient la paix, pas la guerre, pas l'intifada. Les gens étaient très fiers de poser. Sur les photos, des gosses, des grand-mères émouvantes, des femmes fatiguées, des filles amusées, la première équipe de foot du pays, toutes et tous vous regardent droit dans les yeux, avec fierté et insolence. J'ai fait ces photos comme une chronique ordinaire de la nouvelle Palestine, une galerie de portraits des gens de la rue, des personnages qui prennent date de cet événement historique, la reconnaissance de la Palestine, par leur simple présence, leur seule volonté de vivre.

Plusieurs journaux européens les ont publiées dans leurs pages magazine comme un reportage. Pourquoi un catalogue de vêtements ne serait-il pas aussi un témoignage, un document sur l'espoir et la résistance d'un peuple ? La publicité est offerte au public. Elle devrait être l'art de la rue, le vêtement et le décor de nos villes. La pub pourrait devenir la part ludique, fantaisiste ou provocante de la presse. Elle pourrait explorer tous les domaines de la créativité et de l'imaginaire, du documentaire et du reportage, de l'ironie et de la provocation. Elle pourrait informer sur tous les sujets, servir de grandes causes humanistes, faire connaître des artistes, populariser des grandes découvertes, éduquer le public, être utile, avant-gardiste. Quel gâchis !

Alors qu'il prépare Malcolm X, *Spike Lee défend les affiches « United Colors »*

Depuis une dizaine d'années, les campagnes Benetton mélangent les genres — antiracisme, photos d'actualité, détournement de clichés, etc. —, elles perturbent l'espace publicitaire avec des images jamais utilisées sur ce support, interpellent les réactions politiques et morales du public, ponctuées comme des chroniques éditoriales ou des critiques sociales. Elles fonctionnent comme un immense journal de rue, un dazibao qui questionne nos tabous et nos peurs, déclenche des interrogations, des débats immédiats, par la seule confrontation à une image. Ces pubs ne ressemblent à aucune autre, voilà pourquoi beaucoup les jugent scandaleuses : elles rompent avec nos habitudes. Elles remettent en question toute la publicité. Mais laissez-moi vous raconter...

La première affiche qui déclencha une polémique mondiale fut celle du bébé blanc dans les bras d'une femme noire. L'enfant était porté comme pendant une berceuse et têtait. Une image tendre. Pourquoi cette photo ? Vous remarquerez d'abord le décalage total entre le produit — les vêtements Benetton — et la campagne. Je ne fais pas de publicité au sens classique avec cette affiche. Je ne vends pas des pulls. Ceux-ci, de bonne qualité, de toutes les couleurs, vendus dans sept mille boutiques à travers le monde, se suffisent à eux-mêmes. Je ne cherche pas à convaincre le public d'acheter — à l'hypnotiser — mais à entrer en résonance avec lui sur une idée philosophique, celle du brassage des races. La campagne s'appuie sur la devise de la marque, « United Colors », qui devint bientôt le nouveau nom de Benetton. Elle s'en sert comme tremplin pour développer un état d'esprit antiraciste, cosmopolite, antitabou, jusqu'au fin fond de pays particulièrement exposés au racisme comme l'Afrique du Sud ou les États-Unis. Elle transforme un slogan publicitaire en une démarche humaniste. Elle « colore » Benetton d'une attitude progressiste. Elle développe une image de marque, philosophique, au-delà de la seule consommation.

Cette campagne fut très bien reçue dans le monde entier et gagna plusieurs prix. Sauf aux États-Unis, où des organisations minoritaires noires la jugèrent raciste. Selon elles, l'affiche entretenait le vieux cliché colonialiste de l'enfant blanc et de la nounou noire. Il est curieux que ces têtes politiques n'arrivent pas à réfléchir hors ces vieux schémas de pensée, faisant du racisme à l'envers. D'ailleurs, quelques semaines après la réalisation de cette affiche, Spike Lee, le réalisateur du film *Malcolm X*, écrivait un article pour le magazine *Rolling Stone*, où on lisait :

« L'emploi, la drogue, le crime, le sida, la guerre, le racisme, l'éducation, les sans-abri, l'environnement, voilà les grands problèmes d'aujourd'hui, sur lesquels il va falloir prendre des initiatives. (...)

« Et c'est là que le responsable des pubs de Benetton domine les autres d'une bonne tête et des épaules. Je tiens à dire que je ne me fais pas d'illusion à leur sujet. Benetton veut se faire du fric, exactement comme les autres entreprises. En fait, nous le voulons tous, mais c'est la voie à suivre qui fait la différence. Tout le monde sait que le moyen le plus rapide pour faire du fric au cinéma, en musique et dans la publicité, c'est le sexe. Le plus souvent, je trouve qu'on choisit la voie ordinaire. On veut vendre un album, ou un film, il n'y a qu'à prendre une jolie fille, avec des jolis seins, un beau cul. Et voilà. C'est une voie aussi encombrée que l'avenue Franklin-Delano-Roosevelt aux heures de pointe.

« Hors le highway, c'est plus risqué. Pourquoi ? Parce que ça nous force à réfléchir. Si c'est assez fort et provocant, les gens s'arrêtent pour discuter du message. Bien sûr, cela exige davantage de créativité. La première fois que j'ai vu une pub Benetton, je ne savais pas ce qu'elle vendait. C'était avant qu'on trouve les boutiques Benetton à chaque coin de Manhattan (je voudrais bien qu'on m'explique ça un jour). Peu importe, l'affiche me faisait de l'effet. N'est-ce pas comme cela que doivent fonctionner les bonnes pubs ? »

À l'inverse, dans l' Afrique du Sud de l'apartheid, l'affiche de l'enfant noir et la femme blanche fut boycottée par les supports publicitaires.

Trop antiraciste !

Quand « United Colors » défie l'apartheid

L'histoire de Benetton en Afrique du Sud mérite d'être racontée. Dès nos premières campagnes « United Colors », notre agent là-bas se montra réticent. Comme celui de New York d'ailleurs, qui ne cessait de nous répéter : « Surtout pas de modèles noirs pour les affiches, mettez des filles roses ! » Quand l'agent d'Afrique du Sud protesta auprès de Luciano Benetton, réclamant des nouvelles affiches, Luciano lui répondit : « Désolé, on ne change pas les photos, c'est votre problème, pas le nôtre. L'apartheid va bien disparaître un jour ! »

Dix ans plus tard, quand l'apartheid fut supprimé et que Nelson Mandela prit le pouvoir, Luciano Benetton et moi furent invités en Afrique du Sud. Nos affiches avaient frappé le public antiraciste. Mandela lui-même voulait nous rencontrer. Malheureusement, il nous fut absolument impossible de nous y rendre, mais Luciano envoya de l'argent pour soutenir le Market Theater de Johannesburg, célèbre pour ses pièces contre la discrimination. Récemment le National Medical Research

Council de Capetown nous a demandé un stock d'affiches avec ma photo des préservatifs de toutes les couleurs, pour lancer une campagne contre le sida. Nous lui avons offert les affiches, et aussi l'affichage.

En Afrique du Sud, l'image de Benetton n'a jamais été négative. À chacun ses combats.

La mairie socialiste de Milan interdit l'affiche des bébés tout nus

En 1990, nouvelle campagne sur le thème de la couleur et des races, qui m'obsédait en cette époque de montée de l'extrême droite et de l'intolérance. Deux bébés nus, noirs et blancs, chacun sur leur pot, jouaient ensemble. L'accueil fut formidable. Aux États-Unis, cette publicité obtint l'Andy Award of Excellence. Seul Milan résista, la mairie socialiste refusa que l'affiche soit collée. La même année, je réalisais une campagne avec la minuscule main d'un enfant noir collée contre la grande main d'un adulte blanc. Nous avons lancé cette affiche sur des panneaux de 6 x 3 m en Afrique du Sud, pendant la bataille du référendum qui allait mettre fin à l'apartheid.

Après cette campagne, j'ai compris ceci : à chacun selon ses préjugés et ses interprétations. Les *a priori* courent d'un pays à l'autre, à Paris, à Tōkyō, à Los Angeles, à Johannesburg, dans chaque culture et sous-culture, selon l'éducation, la religion, les obsessions. Avec ces publicités,

je voulais dialoguer avec le public sur la puissance des clichés et des lieux communs — dont la pub est pleine. Sur
la souplesse et la liberté d'esprit. Sur la tolérance. Pourquoi la plupart des gens s'arrêtent-ils à leur première
réaction, au tabou raciste ou antiraciste ? Pourquoi la
publicité, comme l'art, comme tout grand média, ne
serait-elle pas un jeu philosophique, un catalyseur
d'émotions, un espace polémique ? J'ai été le premier
surpris de la violence des réactions et de la puissance des
clichés racistes. Puis j'ai réalisé que jouer avec les clichés
offre à la publicité une formidable puissance de décapage
des idées reçues.

Je continuai sur cette lancée en réalisant une série de
photos qui brouillent toutes les idées reçues sur la couleur de la peau : une femme blonde et une femme noire,
un enfant asiatique, une paire de menottes reliant un
adulte blanc à un Noir — qui est le criminel ? Madame
Thatcher a fait saisir l'affiche —, une série de pinocchios
de bois de toutes les couleurs, un couple de mineurs
couverts de poussière noire — le travail l'emporte sur la
couleur de la peau —, etc. À la fin de l'année 1990, nous
éditons le journal *Colors*, lancé avec le budget publicité
de Benetton, un journal laboratoire international, publié
en six langues, tiré à huit cent mille exemplaires, où col-
laborent des designers, des photographes, des reporters
sur un projet d'« écriture visuelle ». La démarche était
naturelle, *Colors* prolongeait l'impact éditorial des campagnes, en enrichissant la philosophie, en développant
les grands thèmes. Dans le numéro 4, nous réalisions à la
palette graphique une reine d'Angleterre toute noire, le

50

pape Jean-Paul II transformé en Asiatique, Michael Jackson blanchi et bien rose, Schwartzeneger en Mike Tyson. Toutes ces images s'adressent à nos préjugés et les secouent. Elles rendent caduque l'idée de race en mettant en avant les variations de couleur à l'intérieur d'un même peuple, en montrant l'amour mixte, en confrontant le corps nu des hommes au-delà des peaux.

Le jour de la guerre du Golfe, nous publions des grandes photos de cimetières

Suite à ces campagnes, je réalisai que le public attendait chacune des campagnes Benetton comme une sorte de feuilleton photographique. L'espace d'affichage devenait un média vivant, une chronique à suivre, une sorte d'éditorial concentré en une image. Comment continuer ?

Pendant l'été 1990, quelques semaines avant le démarrage des conflits dans le Golfe, nous nous réunissions avec Luciano Benetton pour discuter des campagnes à venir. Quand il me dit :

« Oliviero, tu ne veux pas faire quelque chose sur la guerre qui vient ?

— Je ne me sens pas très confortable sur cette guerre... »

Souvenez-vous. Cette guerre annoncée déchirait toutes les consciences. Fallait-il que l'Occident s'engage, au risque d'être prise dans un engrenage fatal ? Fallait-il se tuer pour du pétrole ? Laisser Saddām Hussein impuni ?

51

Comme beaucoup de gens, j'étais perdu. Mais Luciano a insisté :

« Oliviero, il faudrait montrer notre point de vue. Comme pour le racisme... »

Et puis, il m'a laissé tout seul. J'ai beaucoup réfléchi. Je me suis souvenu de ma première image de guerre. C'était en 1948. J'avais 6 ans. Je suis allé avec mon père, photographe de presse pour le *Corriere della Sera*, à une cérémonie officielle dans un cimetière de guerre. C'était un grand terrain rempli de croix. Tous ces morts ! C'est ce jour-là, tout petit, que j'ai compris l'absurdité de la guerre. L'idée m'est venue : il fallait que je recrée cette sensation par une photo.

Je suis allé au fameux Chemin des Dames, pas très loin de Paris. Là-bas, c'est comme un supermarché des cimetières de guerre. On y trouve des croix de tous les pays, des symboles de toutes les religions, les croix noires des Allemands, les croix blanches des Français. J'allais d'un cimetière à l'autre. C'était effrayant, pas un soldat n'avait plus de 25 ans ! Finalement, je fais une photo d'une enfilade de croix blanches sur une pelouse verte. Une image limpide, évidente. Plus tard, je m'apercevrai qu'une étoile de David s'était glissée parmi toutes ces croix catholiques. Beaucoup crurent que je l'avais rajoutée au tirage.

Le jour où éclate la guerre entre l'Irak et les États-Unis et ses alliés, nous publions ce cimetière, sur une double page, dans le *Corriere della Sera* et sur le *Sole 24 Ore*. Pour moi, comme pour Luciano, c'était une manière de rappeler l'absurdité de la guerre, un message de paix. Toutes les guerres se terminent par des cimetières.

Une fois encore les réactions de rejet me stupéfièrent.

Le grand hebdomadaire allemand *Stern* refuse de passer la publicité. Puis le journal progressiste français *Libération*. Puis *Stern* révise sa position et nous publie. Puis les journaux italiens nous rejettent. Des éditorialistes protestent, des journaux de gauche, d'extrême droite, chrétiens. C'est la première fois qu'apparaissent les arguments sur l'obligatoire naïveté de la publicité. Celle-ci ne doit pas parler de guerre, de paix, de la mort, ils tombent tous d'accord ! Montrer des cimetières sur une pub, c'est exploiter la mort pour vendre, c'est immoral, cynique. Pour ces beaux esprits, la pub est condamnée au vide. La pub ne doit pas être un média réaliste et polémique. Je comprends que mon cimetière ait dérangé. Quand on part en guerre, on réserve d'avance sa place au cimetière, comme on loue une maison pour les vacances. Ce n'est pas une chose à rappeler en temps de guerre. Et puis, sur ma photo de cimetière, je ne mettais pas de drapeau, pas de nationalité. Je ne montrais pas des héros morts pour la patrie, mais des morts tout court, des hommes sacrifiés.

Les clichés résistent. Aujourd'hui, en l'an 2000, il reste interdit et dangereux de toucher au drapeau d'un pays, à l'idée de patrie et de nation. En 1985 déjà, un drapeau américain apparaissait dans une de mes photos. Ce fut un scandale. Car toute utilisation non officielle du drapeau américain était prohibée aux États-Unis. Je l'ignorais, je suis souvent provocateur en pure innocence. Je protestais contre cette interdiction. Un débat de presse s'ensuivit, puis s'envenima. Au final, la règle obsolète qui interdisait de montrer le drapeau étoilé sans cérémonie fut supprimée. J'avais fait sauter la loi.

Les sociétés conservent les clichés qu'elles méritent.

Quand le monde a peur d'un enfant qui vient de naître

Début 1991, nouvelle campagne Benetton. On m'a tellement accusé d'exploiter la mort et la guerre pour vendre des pulls que je pense à une photo diamétralement opposée. Je réalise la photo d'un enfant qui vient de naître, nu, couvert de placenta, encore relié à sa mère par le cordon ombilical. J'y vois, en pleine guerre du Golfe, en ces temps d'inquiétude et de crise, une image d'espoir. La vie continue malgré la déprime généralisée. J'imagine offrir, cette fois, une image « incensurable ». Ce fut pire. Je fus attaqué par presque toute la presse européenne, qui refusa la publicité, en Italie, en France et en Angleterre, même dans des journaux proclamés d'avant-garde. En Sicile, le maire de Palerme la fait déchirer. Dans une ville où la mafia tue une personne par jour, l'image d'un nouveau-né était sûrement une provocation !

En même temps, dans tous ces pays, les journaux commentent la campagne. Beaucoup s'insurgent contre la « nouvelle provocation de Toscani ». Les plus féroces critiques préfèrent donc à cette Nativité, comme on dit en peinture, les bébés joufflus des pubs télévisées à qui on fait vendre des couches-culottes en leur faisant dire des slogans imbéciles ! Je n'en reviens pas. À croire que si un peintre comme Bacon réalisait une pub aujourd'hui, il se ferait démolir. Ce serait trop violent, trop provocateur ? Que la réalité et l'art fassent irruption dans la pub, voilà ce qui dérangea tant à

54

l'époque. Aujourd'hui, le public comme les critiques se sont habitués, ils acceptent de discuter, ils comprennent mieux le sens de ma démarche. Ceux qui résistent avec une violence féroce, dogmatique, restent les publicitaires. Leurs arguments favoris étant : la publicité doit faire rêver, pas penser, « malheur par qui le débat arrive » (Jacques Séguéla). À voir. En quelques années, avec une communication originale, United Colors of Benetton s'est fait connaître à un niveau international comme aucune autre marque de prêt-à-porter. Des études ont été faites en 1994 sur la popularité du titre dans le monde entier : le nom United Colors of Benetton bat désormais Chanel dans la mémorisation des marques et est entré dans le peloton des cinq marques mondiales les plus connues.

Des photos de grand reportage placardées en 4 x 3 m dans les rues

C'est après ce bébé tout neuf que j'ai commencé à utiliser des photos de reportage des agences Magnum, Sygma, etc. L'irruption d'une attitude polémique dans le monde publicitaire surprenait ? J'allais y injecter le réel. Je visionnais les images des plus grands reporters. J'en ai vu des milliers. Retenu sept. Réalisées par des journalistes de terrain qui sont aussi des artistes, des Goya modernes, le Goya reporter du célèbre tableau *El dos de mayo* qui montre une fusillade pendant la guerre franco-espagnole. Cette fois, qui allait me reprocher de provoquer avec des photos gratuites ?

Vous vous souvenez de ces panneaux 4 x 3 m et 6 x 3 m placardés dans toutes les villes du monde en 1993 et 1994 et montrant ces photos de grand reportage estampillées du logo « United Colors of Benetton » ? Un militaire noir se tenait bien droit, l'arme en bandoulière, comme hier les caporaux coloniaux anglais, sauf que dans son dos, en guise de baguette ou d'épée de cérémonie, il agrippait un fémur humain. Une femme en noir pleurait son fils assassiné par la mafia en Sicile, toute la vie de l'homme semblait avoir coulé dans la flaque de sang. Un oiseau gluant de pétrole continuait à nager, dans la même position que tous les oiseaux du monde. Un bateau croulait sous des réfugiés, des hommes suspendus au bastingage, montés jusqu'en haut des cheminées, dans une frénésie de fuite. Un malade du sida en phase terminale, mourant, était accompagné par son père jusqu'à son dernier souffle.

En agrandissant ces photos sur les murs, je voulais redonner toute leur force à ces icônes modernes, transformer la publicité en une gigantesque exposition photographique d'actualité. Jamais nous n'avions vu ces photos à cette taille, en bas de chez soi, sur le trottoir, dans le métro.

Ce fut un tollé chez les publicitaires. Ceux-ci expliquèrent, furieux, que ces affiches étaient dégradantes, polluaient l'espace réservé à la pub, qu'elles étaient contraires à l'esprit de leur métier et mille autres stupidités indignées. Mais *qui* a décrété que la publicité ne devait pas montrer des images fortes ? Quel dictateur artistique en a fixé une fois pour toutes les règles, décrétant ce qu'elle doit et ne doit pas faire ? Avec cette campagne, pour la première fois, la réalité entrait en force dans leur univers climatisé. Pour la première fois, la pub utilisait quelques mètres carrés de son gigantesque espace pour offrir au public l'actualité dans ses images extrêmes, avec une force de frappe mille fois supérieure à tous les journaux de reportage. Dans la rue. Pour tout le monde.

Pourquoi les publicitaires s'insurgent-ils et crient au sacrilège ? Ils ont peur. Ces photos superbes et implacables révèlent la mièvrerie anesthésiante de la publicité courante, son absence de force et de style. Ils ne supportent pas que l'on trouble leur univers léché et codé, exactement comme les académistes et les conservateurs d'hier protestaient contre les « excès et les provocations » des impressionnistes ou des cubistes, accusés de défigurer la peinture. Le reporter-photographe Patrick Robert, dont deux photos ont fait des affiches, a répondu à ces critiques dans un entretien publié à l'occasion de la rétrospective de mes campagnes Benetton par le musée d'Art contemporain de Lausanne :
« Benetton est entré dans un autre domaine de la publicité, il a dépassé la notion de produit pour vendre une philosophie de marque. (...) Nous ne sommes plus en face d'une campagne classique sur le rêve, l'illusion, l'irréel, le superficiel. Toscani parle du monde réel, du monde d'aujourd'hui. Très vite, il a été accusé d'agres-

sion... On nous reproche, à nous reporters, photographes d'actualité, la misère dans le monde, la violence, comme si nous en étions responsables. Notre objectif est de lutter contre l'indifférence. (...) L'absence de légende sur mes photographies ne me gêne pas car les images parlent d'elles-mêmes... Quand le passant dans la rue découvre l'image de l'homme au fémur... [Il] est immédiatement frappé par la violence contenue et implicite, la désinvolture avec la vie des hommes, le mépris de la sépulture humaine. Le message de l'affiche est là : n'oublie pas que quelque part dans le monde, à notre époque, cela existe aussi. »

Une photo de sidéen mourant est une pietà moderne

La pub est neutre, vide, sans intérêt. Du papier peint. Bonne à zapper. Avec ces images de reportage agrandies, on dirait qu'on voit la pub pour la première fois. On la redécouvre. On comprend à quel point elle est omniprésente, mais invisible. Le télescopage d'une image d'actualité et du ronron édulcoré des pubs déclenche tout à coup la réflexion, rompt la passivité. La photo de reportage retrouve tout son potentiel émotionnel. Publiée dans les magazines d'actualité, au milieu de cent autres, elle finissait par s'affadir. Agrandie sur un mur, dans le métro, isolée, sortie de son environnement habituel, elle récupère sa force. Le croisement des genres renouvelle toujours la créativité et secoue nos habitudes intellectuelles. Pourquoi une photo admirée dans une revue spécialisée ou un journal serait-elle insupportable placardée dans les villes ? Chacun chez soi et les poules seront bien gardées ? Nous devrions penser avec des tiroirs, classer les images et les idées une fois pour toutes ? Ce serait affreux, schizophrène, contraire à toute création, le triomphe de la voie de garage et de l'esprit borné.

L'affiche la plus choquante de cette époque, selon les critiques, me semble la plus forte, la plus émouvante. C'est une pietà vraie. Je parle de celle de David Kirby, le sidéen mourant embrassé par son père, faite par Thérèse Frare. Je connais peu d'images aussi intenses. Je l'ai affichée à travers le monde entier pour lutter contre l'exclusion des sidéens. Sans légende. Sans commentaire pour l'affaiblir ou l'adoucir. Pour montrer qu'un malade peut s'éteindre entouré de toute sa famille, dans les bras de ses parents, sans les contaminer, accompagné jusqu'à son dernier souffle, et non pas seul comme un chien. C'était pour moi la démonstration que la mort solitaire des sidéens, à l'époque considérés comme des pestiférés, parqués dans des mouroirs, n'était pas une fatalité.

Ce fut encore de par le monde une tempête de protestations. Mais aussi de controverses et de fascination. Comme d'habitude, les trois quarts des petits théoriciens des médias et de la pub me traitaient de provocateur cynique, voire de salaud. Je jouais maintenant, disaient-ils, avec la maladie, la souffrance, avec le mal absolu, pour vendre des pulls. Un jeu ? Non, un combat. À l'époque toutes les campagnes de lutte contre le sida refusaient de montrer les malades. Les experts s'arrachaient les cheveux pour savoir comment convaincre le public de mettre des préservatifs. Et on me reprochait d'afficher cette photo dans le monde entier ! De montrer la réalité nue, mais dans sa tendresse aussi. À travers une des plus émouvantes photos de cette décennie.

4

Petit tour du monde des préjugés

« La publicité est simpliste, parfois simplette, mais elle a une vraie qualité : elle est marchande de bonheur... Malheur par qui le débat arrive. »

Jacques Séguéla,
cofondateur de l'agence Euro-RSCG,
Paris.

En février 1992, devant la levée des passions suscitées par les campagnes utilisant les photos de grand reportage, nous organisons avec Luciano Benetton une série de conférences de presse dans les grandes capitales. Nous voulons nous confronter au public, à la critique, aux journalistes, nous expliquer, défendre notre conception de la publicité, montrer que nous ne sommes pas des cyniques. Ces réunions rassemblèrent bien au-delà des seuls journalistes, elles attirèrent des artistes, des graphistes, des photographes, des publicitaires, le public curieux, dans toutes les villes traversées. Elles suscitèrent partout des controverses passionnantes, en particulier sur la nécessité ou non de mener campagne contre la prolifération du sida en montrant les malades ou l'acte sexuel dans toute leur crudité.

Le 13 février, la première conférence de presse se tient à New York. Kay et Bill Kirby, les parents de David, le sidéen mourant de la photo de Thérèse Frare, sont présents. La veille, à Ponzano Veneto, siège de l'entreprise Benetton, la campagne a été présentée aux dirigeants de l'entreprise par Luciano Benetton en personne et moi-même. Ce fut comme une répétition générale. Toutes les questions difficiles sur le rapport publicité-produit, sur l'utilisation instrumentale d'images réalistes pour vendre, sur l'autocensure et les limites à ne pas franchir, furent posées là. Nous les retrouverons tout au long de nos conférences de presse, puis dans toutes les campagnes suivantes. Pour moi, l'intensité des débats soulevés, leur passion, témoignaient déjà de la force de ces campagnes.

Retour à New York. Luciano ouvre la conférence à neuf heures du matin sur un : « Merci d'être si nombreux ». Nous sommes à la Public Library, la Bibliothèque municipale. Trois cents journalistes se pressent. Mais aussi des photographes, des publicitaires, et toute l'équipe de *Colors*, notre journal. Quel brouhaha ! On se croirait dans une salle de concert avant l'arrivée de l'orchestre. Nous venons d'accorder nos instruments : le projecteur de diapositives rappelant toutes les campagnes Benetton, les micros pour la tribune et la salle, les casques pour la traduction simultanée. Nos photos de reportage viennent d'être publiées dans *Vogue* et *Vanity Fair* et ces magazines circulent de main en main. Les journalistes, certains féroces, se pressent autour des parents de David Kirby. Ils leur demandent : « Pourquoi avez-vous donné la permission de publier la photo de votre fils ? », « Vous ne souffrez pas en la voyant affichée dans les rues ? » Secrètement, ils espèrent les déstabiliser, pour que Benetton soit dénoncé comme profitant ou achetant leur malheur.

Le père de David leur fit cette réponse, avec la plus

grande dignité et sans haine : « Mon fils s'est battu de son vivant pour qu'on informe tout le monde sur le sida et les moyens de le prévenir. Grâce à cette photo terrible et cette campagne internationale d'affiches, il parle à voix haute. Nous nous sommes servis de la puissance et de la notoriété de Benetton afin que le public sache et débatte enfin dans tous les pays de cette maladie effrayante, inconnue, qu'on évite de regarder en face. »

Ses paroles tombent au milieu d'un auditoire tout à coup silencieux. Puis on n'entend plus que le crépitement des flashs agressant le visage retourné de la mère de David, et les larmes du père après son intervention. Les journalistes ne savent pas se tenir.

À Paris, on nous traite d'« anarchistes de droite »

MILAN, 17 FÉVRIER. Vittorio Agnoletto, de la Ligue italienne pour la lutte contre le sida, ouvre les débats. Il lit un texte qui me touche, mais ne me convainc pas, où il critique tout usage public et publicitaire de photos de séropositifs. « Un des moyens adoptés par de nombreux séropositifs pour continuer à vivre de façon normale, déclare-t-il, est de laisser de côté cette prise de conscience de leur état de malade. Avec cette photo vous leur balancez en plein visage, à chaque coin de rue, la réalité mortelle de leur état. »

Stefano Marcoaldi, un séropositif, président d'une association d'aide aux malades, lui répond. Il n'est pas d'accord. Il a choisi, comme David Kirby, de révéler sa condition de malade et de la montrer. Il veut qu'on reconnaisse les droits des sidéens. Il ne veut plus que tout le monde se taise et s'aveugle devant la maladie. Une conversation houleuse s'installe. Un militant gay, citant le livre de Philippe Aries, *la Mort et l'Occident*, parle du tabou de la mort dans nos sociétés. Il proteste contre l'usage d'euphémismes et de propos flous qui n'aident en rien à comprendre la réalité dramatique du sida. Et s'il comprend qu'une imagerie forte risque de blesser les séropositifs, il la justifie comme thème d'une campagne de prévention. La photo de David Kirby, ajoute-t-il, servira bien plus à prévenir le sida que toutes les campagnes peureuses du ministère de la Santé italien.

PARIS, 18 FÉVRIER. L'ambiance est électrique. Les implications idéologiques de notre campagne passionnent et énervent les journalistes présents. L'un nous demande : « Pensez-vous que le rôle d'une entreprise privée soit de prendre en charge la morale et la conscience sociale ? » Et pourquoi pas ? Pourquoi une grande entreprise serait-elle au-dessus de la mêlée, hors le monde ? C'est curieux comme les intellectuels français d'aujourd'hui refusent de mêler économie et politique, à l'inverse de ceux des années soixante-dix. Ils sont prisonniers d'un cercle vicieux. À chaque fois qu'une entreprise développe des idées sociales, soutient une cause, ces intellectuels protestent qu'elle se fait de la pub sur le malheur des autres. C'est du gauchisme éternel !

« Imaginez un concurrent qui fasse comme vous, mais en tenant des propos racistes, défendant la peine de mort,

Automne/hiver 1991–1992, photo et conception : O. Toscani.

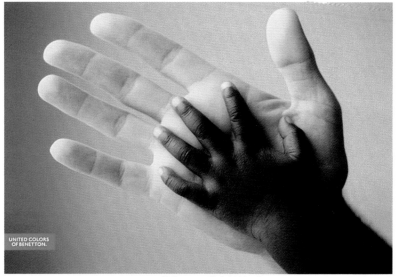

Printemps/été 1990, photo et conception : O. Toscani.

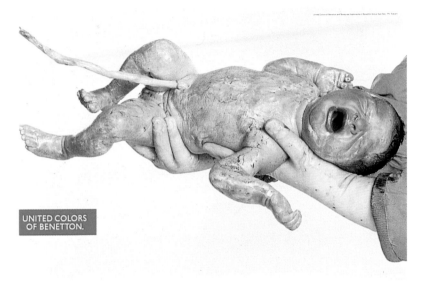

Automne/hiver 1991–1992, photo et conception : O. Tosçani

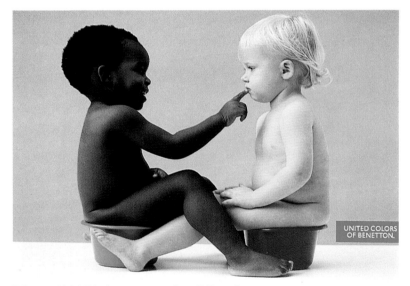

Printemps/été 1990, photo et conception : O. Toscani.

Automne/hiver 1989-1990, photo et conception : O. Toscani.

Printemps/été 1991, photo et conception : O. Toscani.

Automne/hiver 1989-1990, photo et conception : O. Toscani.

Printemps/été 1991, photo et conception : O. Toscani.

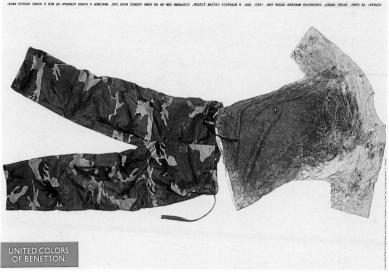

Printemps/été 1994, photo et conception : O. Toscani.

Printemps/été 1992, photo : Patrick Robert/Sygma, conception : O. Toscani.

Printemps/été 1992, photo : Franco Zecchin/Magnum, conception : O. Toscani.

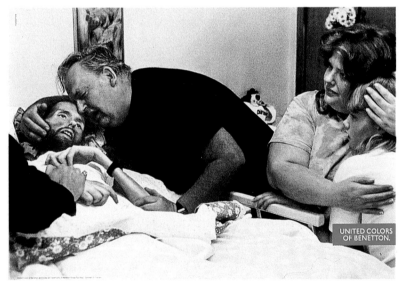

Printemps/été 1992, photo : Theresa Frare, conception : O. Toscani.

Automne/hiver 1992-1993, photo : Steve McCurry, conception : O. Toscani.

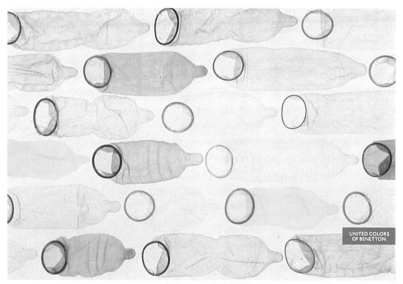

Printemps/été 1991, photo et conception : O. Toscani.

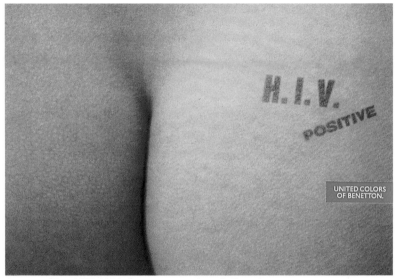

Automne/hiver 1993–1994, photo et conception : O. Toscani.

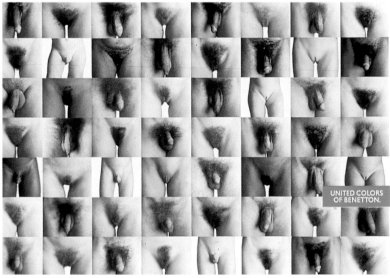

Printemps/été 1993, photo et conception : O. Toscani.

ou dénonçant l'émigration comme un fléau, que feriez-vous ? »

« Quel est le critère de sélection de vos photos ? Esthétique, philosophique, ou cherchez-vous le choc pour le choc ? »

Avec Luciano, nous répondons, nous nous défendons. Si une grande entreprise tenait des propos racistes, elle tomberait sous le coup des lois. Et puis la publicité toujours rose, jeune et fraîche, n'est-elle pas raciste à sa manière ? La salle s'agite, les questions fusent. Un journaliste du *Monde* me qualifiera « d'anarchiste de droite », attaché à la seule « mise en valeur du négatif ». Toujours cette vieille querelle française gauche-droite. Quant à moi, je ne connais aucun anarchiste de droite ! Cela n'a pas de sens. Les anarchistes se situent au-delà des clivages politiques, ce sont des individualistes avant tout.

J'ai toujours trouvé curieux que les grands journaux me reprochent de « profiter du malheur », eux qui passent leur temps à photographier, décrire et analyser les drames de société. Pourquoi ne supportent-ils pas que d'autres médias en parlent ? Pourquoi une photo seule, isolée, limpide, ne serait-elle pas chargée d'un sens éditorial, politique, comme un article ? Umberto Eco, qui est aussi un spécialiste des signes de notre modernité, a réfléchi sur cette curieuse jalousie de la presse à notre égard. Il écrivait à ce propos dans la revue italienne *Europeo* : « La presse écrite est seule responsable d'avoir encensé son image provocante, en lui donnant une dimension psychanalytique ou sociale, qui garantissait son assimilation dans l'opinion publique. (...) Benetton et Toscani ont choisi de faire leur promotion grâce au discours journalistique..., ils ont choisi d'imprimer, ce qui ne leur coûte pas un centime de plus. Quel coup de maître ! »

Les Anglais aiment mieux les chiens que les bébés

LONDRES, 19 FÉVRIER. Les journalistes de la presse populaire et des tabloïds se sont donné rendez-vous, à l'affût du scandale. Ils se félicitent que la presse anglaise ait refusé la photo du bébé venant de naître. En même temps, tous leurs journaux parlent des actions des associations de protection des animaux. Je leur réponds : « Les Anglais aiment plus les chiens que les enfants. Si j'avais photographié un petit chiot en train de naître au lieu d'un gosse, vous auriez tous passé l'image. »

Ce n'était pas seulement une boutade.

Un journaliste me traite de raciste, la photo du soldat noir tenant un fémur en main sous-entend que je le prends pour un cannibale. Nous nous insurgeons : chacun voit midi à sa porte. Pour Luciano et pour moi, cette photo montre comment un officier noir peut reprendre l'exacte pose des anciens officiers colonialistes anglais en Afrique, comment l'abus de pouvoir et la haine de l'autre s'installent aussi chez les anciens colonisés. Cris, tollé, nous avons tort, ils ont raison. Ce fut un des débats les moins ouverts de toute cette tournée d'explication.

AMSTERDAM, 20 FÉVRIER. La Hollande reste un des pays où les campagnes Benetton furent toujours très bien reçues. Un pays tolérant. Cela dit, pendant la conférence de presse nous sommes très critiqués par la rédactrice en chef de *Elle*. Le journal est sorti avec deux pages blanches en guise de publicité Benetton ; elle a refusé de passer la publicité, cette fois nous sommes allés trop loin. Ce sera un créatif d'une grande agence d'Amsterdam qui lui répondra, avant même que nous puissions placer un mot : « Personne n'a le droit de censurer ce que d'autres ont librement décidé d'exprimer ! s'écrie-t-il. Si j'étais une lectrice de *Elle*, je me sentirais offensée. » Le débat était bien lancé !

FRANCFORT, VIENNE, 21 FÉVRIER. Les Allemands et les Autrichiens se révèlent des peuples philosophes. À chaque conférence, les discussions nous entraînent très loin. Benetton a-t-il l'intention de devenir un organisme mondial de charité, une agence de communication qui, pour payer ses frais, vend des habits, ou alors s'agit-il d'une mauvaise conscience de capitalistes trop riches, ou très malins, ou voulant contourner la fiscalité ? Un communiqué de l'Association berlinoise de lutte contre le sida nous parvient en pleine controverse. Il nous remercie pour la photo de David Kirby, celle-ci va les aider à lutter pour la prévention du sida. Nous faxons aussitôt ce texte aux militants anglais, qui taxent Benetton de cynisme marchand.

ZURICH, 22 FÉVRIER. Vive la précision suisse ! À Zurich, on ne nous pose que des questions de chiffres. Combien avons-nous payé les photographies des agences ? Eh bien, messieurs, entre trois mille et dix mille dollars.

Quel est l'impact de ces photos sur vos ventes ? Eh bien, messieurs, c'est difficile à dire encore. Mais sachez que depuis dix ans Benetton a multiplié par dix son chiffre d'affaires. Mais la question n'est pas là. Je ne vends pas des pulls Benetton, je cherche à défendre une nouvelle conception de l'art photographique et publicitaire.

Madrid, un piquet de grève bloque l'entrée de la conférence de presse

NAPLES, 23 FÉVRIER. Invités par le sociologue Alberto Abruzzese à la foire de l'Édition, nous voilà face à cinq cents Napolitains déchaînés, drôles, spirituels et parfois agressifs. Très vite, à l'inverse de Londres, le débat s'élève. Sur l'ironie et la tragédie, le cynisme et la philanthropie, la manipulation de l'opinion. Pourquoi Benetton serait-il obligatoirement moqueur, manipulateur, en remettant en cause un système publicitaire qui l'est à 99 % ? Nous reproche-t-on d'avoir eu ce courage ? Préfère-t-on vraiment la pub naïve à ces affiches qui soulèvent les esprits ?

MADRID, 24 FÉVRIER. Un piquet de grève organisé par un comité de lutte contre le sida barre l'entrée de l'hôtel Principe De Vergara où se tient la conférence de presse. Un manifestant couvre d'un drap noir la photo de David Kirby. Nous improvisons sur place. Très calmement, Luciano explique que nombre d'associations gays ou de défense des sidéens nous soutiennent. Pourquoi les

Madrilènes auraient-ils raison contre les autres ? La conférence s'improvise autour du piquet. Comme à chaque fois, le lendemain matin, tous les journaux parlaient de nos campagnes. Pour ou contre, ils ne pouvaient éviter de réfléchir au rôle de la publicité dans nos sociétés.

Mais la question la plus amusante de Madrid restera : « Si une banque utilisait la photo d'une femme noire et de son fils squelettique pour encourager leurs clients à faire des économies, qu'en penseriez-vous ? »

Mais où vont-ils chercher tout ça !

BUDAPEST, PRAGUE, VARSOVIE, 27-29 FÉVRIER. C'est en Europe de l'Est que j'ai vu les réactions les plus ouvertes, les moins butées. Quelle fraîcheur d'esprit ! Dans ces pays, la réflexion, l'émotion face à la communication ne sont pas chargées d'arrière-pensées jalouses. Les esprits peu habitués à la pub réagissent souvent sans préjugé, avec le regard innocent de la découverte. Ce fut un véritable bol d'air après les questions haineuses de la presse populaire anglaise. Les journalistes voulaient sincèrement comprendre ce passage de la pub classique à la photo de reportage. Ils s'interrogeaient sur les campagnes que nous allions lancer en Union soviétique, ils discutaient sans agressivité. Là-bas la publicité fait ses débuts. Le décor urbain ne connaît pas les installations massives ni les panneaux géants des villes occidentales. Mais l'envie de la libre entreprise, du capitalisme, la liberté de la presse et des mœurs les a saisis. Il suffit de regarder du côté des mouvements de jeunesse, de la musique. Des nouveaux groupes de rock surgissent partout, qui refont à vitesse accélérée tout le parcours des décennies précédentes, les *Forty Two Partizan*, qui jouent du heavy metal, les *Sexepil* fascinés par nos années soixante-dix, le *Tatrai Band*. Les salles de concert, les bars se remplissent, le Rockoko club à Budapest, le Razzia, le Fregat. C'est reparti là-bas comme dans les années soixante, ils veulent en finir avec l'austérité, la liberté surveillée. Nos conférences de presse étaient pleines à craquer d'une foule jeune et enthousiaste, intéressée de tout. Personne ne nous a demandé si nos publicités étaient conçues comme des « provocations » ou si nous voulions nous donner « bonne conscience ».

En plein milieu de la superbe place Venceslas, à Prague, une publicité grande comme une façade de maison vantait les lessives Persil : la photo d'un paquet et d'une pin-up. La publicité débarque dans ces pays, j'espère leur avoir communiqué le virus de l'esprit critique.

TŌKYŌ, DÉBUT MARS. Les Japonais combinent un sens méticuleux de l'organisation à une grande fascination pour la créativité européenne. La conférence de presse est disciplinée, sérieuse, polie. Un présentateur de télévision connu mène les débats face à une salle comble. Les mêmes questions qu'en Europe reviennent mais sans dramatisation excessive. Les Japonais veulent comprendre. Ils sont très attentifs aux autres cultures, ils cherchent à les intégrer à leur propre civilisation. Ils écoutent. Ils analysent. Ils s'imprègnent. Je les admire. Une telle attitude fait trop souvent défaut dans l'Europe des anathèmes et des petits coqs sûrs de tout.

5

HIV publicité

« Arrêt sur place. Arrêt sur image. On regarde, on est attiré. Toucher, attraper le produit. L'envie, le désir. Donner envie.

La publicité, ça n'est pas la normalité, c'est l'anormalité.

Le normal en pub n'intéresse pas, ne touche pas. Jusqu'où peut-on aller dans l'anormalité pour provoquer, pour établir un lien entre l'affiche ou le film et le public ?

La campagne Benetton provocante, irritante, attirante, insupportable, à la limite, dépassant les bornes.

Dramatique, parce que c'est le drame.

Provocante : elle arrête.

Attirante : belles images, beau travail de photographe.

Insupportable : souvent irregardable parce que délirante de désespoir, de détresse...

Il y a des choses qu'on ne montre pas parce qu'elles dérangent, parce que la souffrance qu'elles provoquent est insupportable.

Campagne perverse. L'invention ne permet pas tout. L'effet sur l'autre est à prendre en considération.

Toscani, Benetton ont-ils analysé le problème à fond ?

Ont-ils imaginé les déviations qu'ils pourraient provoquer ?

Cette exceptionnelle liberté, ont-ils imaginé le malaise qu'elle instaurait ? J'ai admiré le travail du photographe, j'ai détesté le " trop dit ", le " trop écrit ", le " trop photographié ", le " trop montré ". »

Sonia Rykiel,
styliste,
Paris.

Les réactions du grand public les plus exacerbées, les plus folles, mais aussi les plus intéressantes, les plus politiques, accompagnées de mouvements de rejet et de jalousie jamais vus dans le monde publicitaire, se développèrent en Europe avec l'affiche Benetton de l'automne 1993 montrant une peau nue tatouée « HIV positive ».

L'idée de cette photo m'est venue aux États-Unis. J'étais dans un motel en Californie, en route vers Los Angeles. En regardant la télé locale, je tombe sur un reportage dans une école. Un jeune élève, écœuré que rien ne soit fait pour lutter contre le sida, s'est tatoué « HIV positive » sur le bras. Il se présente à son école, nu avec ce dessin. Aussitôt les surveillants l'arrêtent, cachant, eux les américains puritains, non pas sa nudité, mais la chair tatouée !

Cette histoire me bouleverse. Je trouve cet étudiant courageux, imaginant un vrai acte de défi à notre aveuglement, notre politique de l'autruche, notre peur panique devant la maladie. J'ai conçu la photo dans ma tête à ce moment-là. Je me souviens de la réaction de

Luciano Benetton quand je lui ai soumis le projet de l'affiche HIV positive. Il m'a répondu : « Cette fois, le public va comprendre que nous sommes sérieux. C'est l'aboutissement de toutes les campagnes précédentes. » J'étais d'accord avec lui. Avec cette affiche, je voulais que Benetton conserve sa capacité d'intervention en s'engageant contre l'exclusion des sidéens, avec la même force dont nous nous étions engagés contre le racisme.

À cette époque la télévision française, France 2, tournait un « reportage » sur les campagnes Benetton. Je montre l'affiche au réalisateur, Didier Schilte, pour avoir son avis. Il me dit, avec une moue de dépit : « C'est moins fort que d'habitude. Dommage !

— Vous croyez ?

— Ça ne suscitera pas autant de réactions que les précédentes. »

J'étais très ennuyé, je doutais encore. Comme quoi les journalistes peuvent se tromper du tout au tout.

Une fois encore, je fus sidéré de la violence haineuse de certaines réactions. Commençons par celles des gens de métiers. Les petits papes des grandes agences iront jusqu'à réclamer qu'on me retire mon « permis de publicitaire », car je « déshonore la profession ». Bientôt ils vont exiger qu'on donne un « permis à points » aux photographes et aux artistes ! À chaque photo qu'ils n'aiment pas, un point en moins... jusqu'à l'interdiction de faire des photos ! Ces beaux esprits prétendent tout régenter, comme ils le font dans leurs agences, leurs usines à fabriquer la merde parfumée qu'ils déposent partout. Récemment j'ai été invité à une émission très populaire de la télévision italienne, « Le lauréat ». On y invite des étudiants et on les confronte à des gens célèbres, afin qu'ils s'empoignent et que les élèves apprennent quelque chose. J'ai tenu à leur parler de communication. J'ai déclaré que les communistes italiens, hier si puissants, étaient en retard d'une révolution, car ils n'avaient toujours pas compris combien la télé était devenue la vraie force politique. Voilà pourquoi, sans parti, sans tradition, sans militant, Berlusconi les avait battus aux élections. Ensuite, je m'en prenais aux publicitaires. Je les accusais d'encourager la délinquance avec leur univers de riches, de filles sexy et de marques. Le lendemain, une association regroupant de nombreux publicitaires italiens me demandait cinq milliards de lires de dommages et intérêts.

Mais quittons ces esprits rancuniers. Bientôt une polémique de masse sans précédent s'engage dans toute l'Europe autour de cette affiche tatouée. Journaux, intellectuels, associations d'aide aux sidéens, émissions de télé, hommes politiques prennent position, s'engueulent, m'insultent, me défendent. Jamais une publicité n'a déchaîné autant de passion. En France on parle d'une « miniaffaire Dreyfus », qui aurait duré un mois. Dès que les gens commencent à parler de l'affiche, tous s'emportent ! Ce fut le même déchaînement de polémiques, les mêmes empoignades en Italie, en Allemagne, en Angleterre, partout.

De mon point de vue, cette campagne a atteint son

but. Toutes les discussions enragées, les affrontements d'idées, les milliers d'articles virulents ou laudatifs qu'elle suscita tournèrent autour de la question du marquage et de l'exclusion des séropositifs — réclamée par l'extrême droite dans plusieurs pays — et du rôle agitateur de la publicité. Elle obligea tous les experts en communication, secoués par le raz de marée d'une polémique qu'ils n'avaient jamais su soulever, de s'interroger sur la manière de parler du sexe et du sida. Fallait-il être réaliste, choquant ou non, montrer le plaisir, le sexe dans sa nudité, les malades, etc. ? Jamais aucune campagne officielle sur le sida n'avait attisé un tel incendie des esprits. Jamais personne n'avait osé montrer ce que serait le tatouage bien réel, sur la chair, d'un séropositif. Le rejet de cette vision de science-fiction fut tel, la controverse si furieuse, que nous parions qu'il sera désormais difficile à un politicien de défendre désormais une telle mesure de discrimination.

Dis-moi ce qui te dérange, je te dirai qui tu es : les réactions à l'affiche « HIV positive » ont différé du tout au tout selon les pays. Commençons par les plus positives.

En Hollande, au Japon, les activistes antisida s'en emparèrent comme image de campagne, sans se soucier de l'origine publicitaire. Ils détournaient l'affiche, ils l'accaparaient, ils la montraient aux organismes officiels pour qu'ils s'en inspirent. À Londres les militants d'Act Up, l'association internationale d'aide aux malades, collèrent le numéro de téléphone de leur permanence sur toutes les affiches. En revanche, comme à chacune de mes campagnes, la presse populaire anglaise se déchaîna et appela, à la une, au boycott de Benetton. Comme si toute l'actualité mondiale se réduisait aux affiches d'une pub de marque de pull-over !

À Paris, l'association Act Up connue pour son radicalisme militant, s'étonna des prises de position hostiles à Benetton venues de l'AFLS, l'agence d'État chargée d'informer sur le sida, et fit cette déclaration : « L'AFLS ferait mieux de faire preuve d'un peu plus d'audace et de courage politique dans ses propres campagnes ».

Quelques semaines plus tard, Benetton et Act Up Paris passaient à l'action directe et enfilaient un préservatif géant, et rose fluo, sur l'obélisque de la place de la Concorde.

À Genève, l'ASS, l'Aide suisse aux malades du sida, fit preuve de plus de subtilité que son homologue français en publiant un communiqué où on lisait : « L'ASS considère ces affiches comme une tentative engagée et non conventionnelle de favoriser une prise de conscience du public. Car Benetton, contrairement aux autres entreprises qui veulent promouvoir leurs produits, renonce à faire passer un message. Son objectif est d'inviter le destinataire à réfléchir sur la problématique du sida et se forger une opinion. »

À côté de ces réactions concrètes, ou de détournement politique, l'affiche révéla toute la virulence du mouvement « poliquement correct », la nouvelle police des idées et du langage qui se répand en Europe à la suite des États-Unis. En France et en Allemagne surtout : deux pays qui n'ont pas encore digéré leur passé, et où toute référence au marquage des populations résonne comme un mauvais souvenir.

En Italie, le porte-parole de l'Église, monseigneur Giuseppe Pasini, accusa Luciano Benetton de manipuler le public avec des images dramatiques, du mélo et des larmes. Comme si l'Église ne jouait pas sur ce registre depuis des siècles ! Comme si toute la peinture de la Renaissance italienne n'avait jamais montré de pietà ni d'hommes et de saints souffrant les pires morts ! Peu après l'*Osservatore Romano*, le journal du Vatican, nous accusa de faire du terrorisme de l'image, lui dont le symbole est un homme ensanglanté crucifié !

En France, nous sommes attaqués de toute part, face à une intelligentsia divisée. Le ministre des Droits de l'homme réclame qu'on détruise les affiches. Un groupe de jeunes designers appelle au boycott des magasins. Françoise Giroud, célèbre éditorialiste, féministe fameuse, nous attaque avec violence. Et si le regretté magazine *Actuel* nous défend, un journaliste du quotidien *Libération* — un beau titre pourtant ! — se déchaîne : « Comme les flics et les curés, qui savent bien mieux que les hommes ce qui est bon pour l'homme, les images de Benetton (...) ces figures d'ignominie. (...) » Un drôle de début de pamphlet anarchiste, pour finalement défendre la publicité classique et bien-pensante ! Même réaction outragée à *Globe*, à l'époque le journal de la « gauche caviar », qui préféra faire l'éloge d'une campagne du prêt-à-porter où posaient un Karl

Lagerfeld grand seigneur et des top models starifiés. Et bien sûr dans les écrits de Jacques Séguéla, le pape de la publicité française, qui s'effaroucha de ces affiches, comme hier les donzelles coincées s'écriaient : « Ma virginité ! Ma virginité ! » Je cite : « [Toscani] c'est le grand déballage de la monstruosité du monde. (...) Peu à peu la provocation a remplacé la création, déjà les drames de la planète relaient le bonheur du grand métissage des races et des couleurs des premières campagnes Benetton. Trois ans plus tard l'antiracisme sombre dans l'anti-conformisme. Jamais une campagne ne défraiera autant la chronique jusqu'à " démoniatiser " l'image de sa marque. »

À entendre cet expert en communication, quiconque ne fait pas comme tout le monde « sombre » dans l'anti-conformisme, et la provocation n'a rien, mais rien de créatif. Un propos inquiétant pour qui dirige une agence de création en communication !

L'épaisseur des œillères de tous ces hommes de communication, hier contestataires, soixante-huitards libertaires, me fait de la peine. En Europe comme aux États-Unis, ils sont persuadés qu'*eux seuls* apportent l'interprétation correcte des images « HIV positive ». Ils ne supportent pas que d'autres les ressentent ou les analysent différemment. Ces grands théoriciens de la publicité n'ont pas encore compris la puissance créatrice irréductible de l'image. Sa capacité à déclencher les passions et les interprétations multiples au-delà d'un sens figé et dogmatique. Ces intellectuels, qui se croient ultra-modernes, nous rejouent la vieille querelle de l'écrit contre l'image, du texte comme seul dépositaire de la vérité. Ils ne supportent pas qu'une photo soit chargée d'une force explosive, sans être légendée. Sans être explicitée... par eux. Ils n'ont pas encore compris que notre monde s'est dédoublé en un univers d'images et d'écrans qui finit par rivaliser avec le réel. Ils voudraient que les photos des magazines ou celles qui dansent dans les télévisions ne soient que des reflets, des doubles sans signification et qu'eux seuls peuvent en énoncer la vérité. Mais ils se trompent, le virtuel c'est le réel. L'image, c'est la vérité. Une vérité ouverte. Turbulente.

L'essayiste Michel Danthe, rédacteur en chef de la revue *Construire,* a réfléchi brillamment sur cette force agitatoire de l'image dans un texte consacré à la campagne « HIV positive ».

« Il est de par le monde des États, des administrations, qui marquent par un biais ou un autre les personnes qui vivent avec le virus. Manière ensuite de les refouler aux frontières, de décliner un visa, des prestations d'assurances ou d'accéder à certaines écoles. Ce tatouage-là, Benetton en donne une figuration métaphorique avec ses trois affiches " HIV positive ". Une métaphore terriblement concrète, terriblement visuelle, efficace et synthétique. (...)

« Plutôt que de longs discours, une longue argumentation, toute chose qui s'adresse en priorité à la raison raisonnante, Benetton vise le choc émotif, le poids de la chair marquée avec toutes les connotations que la métaphore implique. (...) Mais montrer une réalité est une chose. Porter un jugement sur elle en est une autre. Il est temps de se poser une autre question : que prône la firme face à cette réalité ? Quelle est, une fois cette réalité lancée en image à la tête des gens, le message que Benetton compte lui adjoindre ? Poser la question et tenter d'y répondre, c'est accepter de comprendre que la firme italienne nous propulse dans une nouvelle dimension de la communication. Une campagne classique en effet aurait adjoint un message simple, clair, non ambigu. Quelque chose du genre : « Plus jamais ça ! »... Et le spectateur eût été libéré du devoir de penser : Benetton ne lui aurait-il pas proposé tout cuit le slogan politiquement correct (...) ?

« Avec la campagne de Benetton, rien de tout cela, rien de cette unidimensionnalité : une fois délivré le choc de l'image, la publicité se tait, la signification reste ouverte, l'interprétation à l'avenant. Au spectateur, au piéton qui croisent la publicité sur leur chemin, qui en discutent avec leurs proches ou leurs collègues de bureau, de se positionner et pour cela de réfléchir à la question, de se forger une opinion, d'entrer activement dans le processus de communication. (...) Le message de Benetton, c'est le débat. Le message, c'est la discussion. Le message, c'est la polémique emportée... Le message, c'est cette troisième dimension forcément inattendue, forcément incontrôlable, forcément chaotique, forcément floue, parce qu'elle implique chaque fois un récepteur indépendant... qui en définitive conclut ce qu'il veut. »

L'histoire de Marinko Gagro et du monument au Soldat connu

Fin 1993. La guerre s'étend dans toute l'ex-Yougoslavie. C'est la première guerre européenne depuis cinquante ans. C'est grave, inquiétant. Les vieilles haines religieuses et nationalistes ressurgissent. Elles risquent de se développer ailleurs, à l'Est comme à l'Ouest où déjà l'extrême droite attise le racisme et les thèses identitaires. L'Europe, en paix depuis cinquante ans, un miracle historique, va-t-elle réagir, défendre ses valeurs de tolérance, maintenir la paix ? En vérité, à cette époque, toute la presse européenne ne parle que des bisbilles conjugales du prince Charles et de lady Di ! Toute l'actualité semble se résumer à ce feuilleton à l'eau de rose tandis que la guerre en ex-Yougoslavie est reléguée en pages intérieures, réduite à des petits articles sans force. Alors que les Serbes massacrent, violent, et qu'on découvre l'atroce « épuration ethnique » !

Je réfléchis. Comment axer la prochaine campagne Benetton sur cette guerre et sensibiliser l'opinion ? Un matin de janvier 1993, je reçois une lettre d'une jeune femme de 22 ans, Marina Pejic, qui habite Sarajevo encerclée, bombardée. Elle me dit : « J'ai remarqué qu'à chaque fois que vous faites une campagne, quel que soit le thème, le monde entier en parle. Pourquoi vous ne réalisez pas une affiche pour dénoncer cette guerre honteuse ? » Je réfléchis toujours. Je ne veux pas d'une image de mort, de cadavre, je ne veux pas choquer mais émouvoir. Je pense à une affiche plus conceptuelle, qui dénonce notre aveuglement et notre je-m'en-foutisme. J'imagine alors comme un « monument à un Soldat connu », une image d'un jeune homme tué mais dont on connaît le nom, les parents. Pourquoi pas ses vêtements ? Je propose l'idée à la Croix-Rouge.

En février 1994, j'ai reçu par la poste une paire de pantalons et un maillot emballés dans un carton. Lorsque j'ai ouvert la boîte, j'ai été très ému. Ces pantalons appartenaient à une tenue de camouflage et le maillot avait été porté par un jeune soldat qui venait d'être tué. Une ceinture cassée, du sang séché, le trou créé par la balle. Un billet dactylographié et signé me disait quelque chose dans une langue inconnue, du croate. Avec mes collaborateurs, nous avons lu ces mots incompréhensibles dans un silence total. Ces pantalons nous semblaient être le symbole d'une guerre dont nous ne voulions rien savoir. Ces phrases obscures, les lignes d'un livre que nous ne voudrions jamais ouvrir.

Derrière ces vêtements, il y avait un jeune homme, Marinko Gagro. La lettre provenait de son père qui souhaitait que le nom et les objets laissés par son fils tué par les Serbes fussent utilisés pour la paix, contre la guerre. Qu'il ne soit pas mort pour rien, lui qui voulait finir ses études et se marier.

Nous avons réalisé une affiche et une double page de journal avec la tenue souillée du jeune soldat et l'avons lancée dans cent dix pays. La publicité se présentait sur une double plage avec un fond blanc, le maillot rose taché de sang à droite, le treillis à gauche, mais de telle façon que ces deux habits dessinent le corps de l'homme qui les portait. Le trou de l'impact de la balle était visible, toute sa vie avait fui par là. Un extrait de la lettre du père courait sur une ligne, comme un titre : « Moi, Gojko Gagro, père de Marinko Gagro, né en 1963 à Blatnica, commune de Citluk, souhaite que le nom de mon fils mort, Marinko, et tout ce qui reste de lui soient utilisés en faveur de la paix et contre la guerre ».

En même temps, j'écrivais une lettre à *Oslobodenje*, le journal libre de Sarajevo, où j'expliquai notre démarche : « United Colors of Benetton adresse ce message au monde par le pouvoir de la publicité. United Colors of Benetton ne prétend pas donner de réponses, mais poser des questions sur les civils, les enfants et sur les soldats morts à Sarajevo. Derrière chaque soldat, il y a toujours un homme avec sa vie personnelle, les gens qu'il aime, son histoire. Et derrière chaque vie brisée, il y a la responsabilité d'un monde qui se borne à regarder. (...) Par cette image, que United Colors of Benetton a choisi de diffuser dans le monde entier, nous souhaitons accroître les doutes que l'opinion mondiale peut avoir sur la violence et la mort institutionnalisées. »

Une fois encore, cette affiche déclencha des controverses passionnées et passionnantes dans le monde entier. Aux États-Unis, l'annonce fut refusée par le *Los Angeles Times* en raison de « sa violence ». C'est en tout cas ce que déclara le porte-parole du journal.

À Genève, l'UNICEF m'accusa d'« instrumentaliser l'horreur du monde ».

En Allemagne deux groupes de défense des Droits de l'homme enquêtèrent pour savoir si Benetton ne violait pas la loi internationale en « exploitant » le thème de la guerre de Bosnie « à des buts lucratifs ».

En France *le Monde* et *le Figaro* rejetèrent la campagne.

Je sais que des journalistes ont été voir le père de Marinko pour leur dire que Benetton se faisait de l'argent sur le martyre de son fils mort. Je sais que son père, qui m'a envoyé les habits de son enfant, qui voulait que j'en fasse une affiche, m'a traité de « chacal ». C'est du moins le bruit qu'a colporté dans la presse le publicitaire français Jacques Séguéla. Mais qu'ont raconté ces gens à Gagro père ? A-t-il bien compris que l'image de son fils mort a fait le tour du monde, secoué la conscience des Américains qui hésitaient à s'engager en ex-Yougoslavie, participé au grand débat sur l'embargo de l'armement à destination des populations pilonnées par les Serbes, rappelé partout l'horreur de cette guerre qui menace l'Europe, sinon la paix mondiale ? Ces journalistes ont-ils expliqué à ce père désespéré le sens de ma démarche ? Certains ont dit que le jeune soldat était un fasciste. Que j'avais été manipulé. En montrant la photo d'un treillis imbibé de sang ? Parfois je me demande qui sont les chacals, surtout quand on sait qu'après cette campagne un certain grand patron d'agence écrivit à Luciano Benetton pour lui rapporter les propos du père de Marinko, demander ma tête et proposer de reprendre le budget Benetton.

Mais toutes les réactions ne furent pas si hostiles. Même en France, souvent si agressive, plusieurs journaux publièrent la photo et me félicitèrent. L'affiche obtint le prix du meilleur directeur artistique au Japon, où la démarche publicitaire ne consiste pas seulement à vanter un produit en chansons, mais à offrir une démarche artistique, symbolique. Sans oublier le texte de soutien envoyé par un groupe de designers de... Sarajevo, l'agence TRIO. Ces jeunes graphistes m'ont écrit pour me remercier d'avoir réalisé l'affiche de Marinko et tenter de mobiliser l'opinion internationale sur la guerre yougoslave, comme me l'avait demandé la jeune Marina Pejic. Mais aussi pour tenter de faire évoluer la démarche publicitaire. Je les cite : « Au début des années quatre-vingt-dix, quand les revues étrangères, mais pas encore les journalistes, parvinrent à Sarajevo, on discutait en ville des réclames de Benetton. Chaque fois qu'on nous demandait un commentaire ou une opinion, en notre qualité de graphistes nous répondions en plaisantant que nous haïssions Toscani et que nous étions très jaloux de toutes ses affiches. Nous ajoutions toutefois que nous aurions été désolés de mourir le lendemain sans avoir pu voir ce qu'il était en train de créer.

« Durant les premiers mois de 1992, les journalistes commencèrent à arriver à Sarajevo, tandis que les journaux mondiaux publiaient les photos des horreurs de la guerre qui venait d'éclater. Les publicités de Toscani passaient au second plan, on les oublia pour songer plutôt à se défendre et à survivre. Nous étions convaincus alors qu'il nous fallait continuer à travailler sans tenir compte de la guerre, pour soutenir toute action capable de contraster avec la destruction de notre ville. Nous adressions des messages de Sarajevo avec les seuls moyens qui étaient les nôtres — le design — et nous pensions à nos deux modèles : Andy Warhol et Oliviero Toscani (à l'uni-

92

vers des soupes Campbell, symbole de toutes les soupes en boîte que nous mangions pendant cette guerre, et aux " United Colors of Benetton " qui dans notre esprit devenaient " United Colors of Sarajevo ").

« Comme Toscani, qui a su dépasser la marque de fabrique Benetton par son travail et la vision du monde communiquée par ses affiches, comme lui, nous nous sommes arrogé le droit de proclamer Sarajevo la plus grande " trade mark " de la fin du XXe siècle (cette ville où nous vivions et où on mourait à une vitesse vertigineuse). (...)

« C'est alors qu'apparut l'image de la tenue du jeune soldat tué en Bosnie. Nous ne saurons jamais si cette affiche vouée au conflit de nos régions est une des réactions à la guerre des plus insolentes et des plus cyniques, ou si elle n'est pas au contraire un des avertissements les plus accomplis à propos de cette profonde et atroce blessure perpétrée par la civilisation moderne, qui semble donner toujours plus d'importance au marketing et à la communication. Or, c'est justement en s'en tenant aux règles du marketing, qu'il respecte en même temps qu'il s'en moque, que Toscani a envoyé son message... aussi brutal soit-il.

« Nous ne saurons pas non plus si certains médias ont refusé de publier cette photo pour détourner une fois de plus les regards de nos habits ensanglantés, ou s'ils ont agi comme les gardiens d'un monde idéal, horrifiés par l'exploitation des malheurs d'autrui. (...) Nous ne le saurons jamais. Mais nous savons assurément que Toscani est parvenu avec cette affiche à donner une grande impulsion à la remise en question des causes et des buts de la guerre en Bosnie. (...) Toscani étend l'horreur du monde à ses photographies ; il immortalise des vérités bouleversantes et nous lance un avertissement. (...)

« Grand salut de Sarajevo au grand maître du design. »

Cette lettre me réconforte les jours de doute. Rien à voir ici avec les réactions terrorisées de nombre de publicitaires européens, bien au chaud dans leurs agences, ceux-là qui m'accusent de jouer avec la mort et la guerre. Mais qui en joue vraiment ? Dans l'univers frelaté des publicités, la mort, la douleur et la guerre continuent d'exister, bien qu'elles soient ensevelies sous des montagnes de belles filles et d'objets de consommation. Pourtant on sent l'odeur de la mort rôder dans les campagnes, avec leurs laboratoires de make-up pour cadavres, tous ces mannequins figés, ces femmes irréelles, laquées, muettes, posées, couvertes de strass, inexpressives, avec leur sourire faux, leur démarche forcée, de vraies momies.

J'ai reçu un courrier immense suite à toutes ces campagnes. En 1992 déjà, pendant les campagnes antiracistes, deux mille cinq cents lettres, tant de soutien que de colère, me sont parvenues. Et plus encore au moment de la campagne « HIV positive ». Aucun publicitaire ne reçoit jamais un tel courrier. Quand des personnes me demandent en quoi la guerre en ex-Yougoslavie, le sida ou l'actualité concernent des pulls, je réponds que cela n'a rien à voir. Je ne fais pas de publicité. Je ne vends pas. Je ne cherche pas à convaincre le public d'acheter avec des artifices grossiers. Je ne vais pas vanter les mailles et les couleurs des pulls Benetton, car je suis sûr de leur qualité, tout comme le public. Je ne suis pas cynique, je cherche de nouveaux moyens d'expression. Je discute avec le public, comme tout artiste. Je n'exploite pas les malheurs du monde pour qu'on parle de Benetton, je m'attaque au conformisme des certitudes. J'utilise la force d'impact et d'affichage d'un média, d'un art, sous-utilisé et méprisé, la publicité. Je gratte l'opinion là où ça la démange. Je participe au débat public comme un écrivain, un pamphlétaire, un journaliste. L'image tragique de ce jeune soldat bosniaque me semble plus forte que toutes les suspicions publicitaires, plus importante que le petit rectangle vert de Benetton. Elle parle toute seule. Pourquoi serait-elle irrecevable, irregardable, sur un panneau signé Benetton ? Les journaux n'ont-ils pas un logo, un titre, comme tous les médias ? Eux aussi se vendent. Passent des pubs. Et des photos des malheurs du monde. Ils les exploitent ?

La biennale de Venise m'invite à exposer des photos de sexe

Avec la campagne sur les sexes de tous les âges et de toutes les couleurs, bien cadrés comme des photomatons, isolés dans des carrés, de façon clinique, comme sur un grand présentoir, j'abandonnais l'actualité pour revenir aux tabous. Avec ces photos, je me demande si nous pouvons être reconnus à la seule vue de notre sexe, comme à notre visage. Un visage donne des indications de caractère, de destinée, voire d'origine sociale, mais un sexe, présenté comme une photo d'identité ? Difficile. Tous les gens qui posèrent pour moi le firent de façon anonyme, derrière un paravent. Je suis toujours incapable aujourd'hui de mettre un visage sur un sexe. Même sur le mien.

Une fois encore la presse me censura dans toute l'Europe. En France, *Libération* fut le seul journal à oser publier la double page. Il fit une vente record, trente mille exemplaires en plus. Même quand j'ai pris ces photos de sexe, toutes simples, comme une collection d'accessoires, je ne suis jamais arrivé à la bassesse profonde de certaines publicités sexy, de nombreux spectacles télévisés graveleux ou même d'hommes politiques démagogues. Ma limite est la vulgarité. En Italie, on ne censure pas les invitations à l'orgie de consommation aveugle, les émissions pornographiques du téléachat sexuel — avec striptease suggestif, fille provocante, etc. —, ni les propos racistes des hommes politiques en vertu de l'article 21 de la Constitution. En revanche, la presse s'acharne régulièrement sur mes images qui, dans leur majorité, ne font que documenter le public sur la vie réelle. Sur le sexe cette fois. Ce sexe qu'il fallait bien regarder en face, en cette époque où toutes les campagnes contre le sida n'osaient même pas montrer comment on enfile un préservatif, de crainte de montrer une verge ! Non, on préférait montrer des cactus nains, des petits flirts, des garçons à l'air nigaud, comme s'ils n'avaient rien dans la culotte !

Quand la biennale de Venise décida d'exposer cette

campagne sur les sexes en tant qu'œuvre photographique et publicitaire, je me suis réjouis. Cette invitation à une grande exposition montre combien mes censeurs manquent de sens artistique. Les images publicitaires forgent aujourd'hui une part immense de notre culture, nos connaissances, notre goût, notre style, jusqu'à notre morale. Le travail d'un photographe, d'un artiste, se doit de contribuer à la renaissance de la culture, d'y apporter un sens critique, un style déroutant, des conceptions neuves, que les imbéciles appellent toujours des « scandales ». La biennale de Venise m'invitait pour m'encourager malgré les tombereaux de critiques qu'on déversait sur moi. Je l'en remercie. Par la suite, mes campagnes furent exposées dans les plus grands musées d'Art contemporain, à Lausanne, à Mexico, à São Paulo. L'écrivain et philosophe Régis Debray, l'ancien compagnon de guérilla de Che Guevara, a bien expliqué pourquoi mes photos allaient au musée plus facilement que d'autres : « La pub classique avait soixante-dix ans de retard sur l'avant-garde, la reality pub rattrape enfin le ready made. Supprimer le fossé entre l'art et la vie, entre les images et les choses, c'est notre but à tous après Marcel Duchamp. Si on interdisait la performance Benetton, combien de galeries menacées ? Pourquoi admirer les boîtes de biscuit en fer-blanc de Boltanski, les mottes de saindoux de Beuys, le flacon d'urine de Ben, et rejeter dans l'enfer du mauvais goût la fesse tatouée de Toscani ? Parce que les unes iront au musée ? Eh bien ! l'autre y est déjà ! »

Si la publicité est une industrie, c'est aussi un art.

6

Voilà la pub,
je vais aux toilettes

« Benetton, par Toscani, nous rappelle que nous ne pouvons pas nous permettre de mener à bien certaines tâches simples sans avoir au moins conscience du drame des autres. Toscani n'est pas subtil, mais la réalité à laquelle il fait allusion n'est pas subtile non plus. »

Joachim Pissaro,
conservateur en chef
du Kimbell Art Museum,
Fort Worth, Texas.

Mon père était photographe. Avant et après la guerre, il était reporter au *Corriere della Sera*. C'était un homme courageux. Il a suivi tous les événements de l'actualité italienne et étrangère de 1930 à 1970, il a couvert la guerre civile espagnole, la révolte de Budapest. Et naturellement, sous le règne de Mussolini, il photographiait tous les déplacements historiques du Duce, même quand il rencontrait Hitler ou les autres chefs d'État. Les fascistes avaient très bien compris la force de la propagande, ils en faisaient de façon très publicitaire, comme les nazis, montrant le chef souriant, les foules ravies, les enfants exaltés.

Un jour, Mussolini se promenait sur une plage, à Riccione, accompagné de son photographe officiel, de mon père et d'un journaliste indépendant. À un moment, Mussolini se tourne vers la mer, en grand manteau, les jambes écartées, très droit, très arrogant comme toujours, et il pisse dans l'eau. Comediante ! Mon père fait la photo. Il connaissait des gens en Suisse et leur fait passer le cliché. Une semaine plus tard, la photo paraît à l'étranger avec cette légende : « Mussolini pisse vers l'Ennemi ».

Le lendemain mon père est convoqué par M. Starace, le ministre de la Propagande fasciste à Rome. Il l'emmène voir le Duce, pour être confronté. Le Duce les reçoit dans son bureau. Le ministre demande :

« Toscani, c'est vous qui avez pris cette photo ?

— Non, non, ce n'est pas moi !

Mussolini savait très bien que mon père était le coupable. Lui seul entretenait des relations interdites avec les agences de presse étrangères. Le Duce continue :

— Comment se fait-il que vous ne portiez jamais de chemise noire ?

— Le noir ne me va pas bien au teint...

— On avait compris ça ! Alors ce n'est pas vous qui avez fait cette photo ?

— Non, non !

— Bon ce n'est pas Toscani... »

Ils auraient pu l'arrêter, mais ils préféraient ne pas avoir de problèmes avec les contacts internationaux , ils voulaient continuer à utiliser mon père et à faire leur propagande sans faire de vagues. Ils se sont contentés de menacer.

Je publie ma première photo à 14 ans : la femme de Mussolini

J'ai hérité de mon père sa passion pour la photographie. Il m'a offert mon premier appareil, un Rondine Ferrania. J'avais 6 ans. J'ai tout de suite photographié ma mère puis mes peluches. L'appareil ne me quittait plus. Je devins le portraitiste officiel de toute ma classe. Je trimbalais le Rondine autour du cou à l'école, pendant les excursions, chez moi. Je photographiais tout, tout le temps. C'était une machine toute simple. Grâce à elle, j'ai appris qu'on réalisait une photo avec son cerveau, son regard intérieur, pas avec un appareil. Il faudrait toujours mettre l'objectif derrière sa tête et non devant ! Le fait de coller l'objectif devant son œil me semble presque toujours un acte d'aveuglement. Je fais des photos tous les jours, dans mon esprit ! Je préfère regarder longtemps, analyser, laisser venir des impressions et ensuite, éventuellement, photographier. Aujourd'hui il existe des appareils électroniques très sophistiqués, qui règlent la distance, la lumière, la focale. Mais si la technique s'améliore, je ne trouve pas que la qualité de la vision des photographes progresse tant.

J'ai publié ma première photo en juillet 1957, à 14 ans. Mon père m'avait emmené à Rimini pour l'élection de miss Italie quand on l'appelle du *Corriere della Sera*. Les nostalgiques du fascisme transportent le jour même le corps de Mussolini à Predappio, en Romagne, pour l'enterrer. C'est à côté. Et c'est un scoop. Personne ne savait où était passé le corps de Mussolini, subtilisé par les fascistes en 1945. Mon père avait photographié Mussolini mort, pendu à la célèbre pompe à essence où la foule furieuse l'avait lynché.

Nous filons pour Predappio. Une fois arrivés dans le cimetière, mon père me prête un Leica et me dit : « Si tu vois quelque chose d'intéressant, prends des photos ». Je me faufile entre les croix, il y a beaucoup de monde, des

chemises noires, un service d'ordre, beaucoup de remue-
ménage. Quand je repère une Fiat 1400 noire qui se gare
en retrait, loin des curieux. Deux carabinieri accueillent
une femme tout en noir, le visage voilé. Je m'approche.
J'essaye de photographier l'arrivante. Des fascistes me
repèrent, me bousculent. En tombant j'ai juste le temps
de faire une photo.

En rentrant à Milan mon père développe le rouleau.
Surpris, il me montre le dernier négatif et s'écrie : « Oliviero ! Aujourd'hui c'est toi qui a fait la bonne photo ! »
C'est ainsi que la photo de Rachel Mussolini en grand
deuil a fait le tour du monde.

Et que je voulus devenir photographe.

À 18 ans on prenait du LSD et je rentrais dans la célèbre école de photo de Zurich

En 1962, à 20 ans, j'étais reçu à l'école des Arts appliqués de Zurich, considérée comme une des meilleures
d'Europe et dirigée par Johanes Itten, le maître de la couleur du mouvement d'avant-garde ; le Bauhaus. La classe
de photographie, fondée en 1932 par Hans Finsler était
célèbre. Elle s'était installée à Zurich pour fuir les nazis.
J'étais un « sixty boy ». Je m'habillais tout en couleur,
j'avais les cheveux longs, j'écoutais les Stones, les Animals,
les Byrds, tout le rock. C'était le tout début du mouvement pop. Nous étions la première génération à ne rien
vouloir faire comme nos parents. À détester l'ennui, le

travail idiot, le mariage pour la vie, la politique, l'école, les conservateurs, les communistes. Nous contestions tout. À Zurich, nous n'étions pas cinq cents comme ça, les Suisses nous regardaient comme si nous étions des sauvages. On prenait du LSD comme une substance mystique, pour explorer les possibilités de notre esprit, rien à voir avec la surconsommation d'aujourd'hui, les produits frelatés, la guerre de la drogue. Nous partions en stop à Londres pour assister aux concerts de rock et draguer les filles. Nous voulions tout inventer, notre musique, notre style, une nouvelle manière de vivre, de faire l'amour, de travailler. Nous étions la première génération d'après-guerre avec deux sous en poche. L'argent ne nous obsédait pas, ce qui libérait notre créativité. Mais nous en avions juste assez pour se sentir indépendants. Nous nous débrouillions toujours pour faire ce que nous avions envie.

À l'école de Zurich, nous avions des professeurs extraordinaires, dont Walter Binder, aujourd'hui conservateur de la Fondation suisse pour la photographie. Pendant l'hiver 1993, ce passionné d'images a aidé le musée d'Art contemporain de Lausanne à organiser la grande exposition de mes publicités. Il a écrit un texte sur mon travail, où ce vieux professeur de photographie se rappelle mes débuts, mes premières hantises. À l'entendre, je n'ai pas trop changé :

« Te souviens-tu Oliviero ? à l'époque tu étais déjà un des plus ardents défenseurs d'un engagement personnel en matière de photographie. Une " concerned photography ", c'était pour toi la condition absolue de tout photographe sérieux. (...) La devise de nos discussions du cours du samedi matin était devenue " pas de message crédible sans engagement dans le travail ". (...)

« Jour après jour, nos photos témoignaient que nous étions de plus en plus préoccupés par la politique quotidienne, par les problèmes non résolus de notre monde divisé, les différences Nord-Sud, la conscience grandissante de la destruction de notre environnement. Finalement nous avons fait de " notre époque " le thème principal de tout le semestre, et la teneur du diplôme final de 1965...

« Bien des années plus tard, je découvre les United Colors of Benetton, je me rends compte aussitôt que ces photos remarquablement conçues seront très difficiles à comprendre pour bien des gens. (...)

« Tu es allé loin Oliviero ; un industriel libéral et digne d'admiration t'a laissé dire ce que tu avais toujours voulu exprimer, ce qui était déjà ta préoccupation majeure à l'époque de ta formation, à savoir d'imprégner constamment ton travail de ton engagement politique. Tu l'as réussi de manière convaincante avec Benetton. Et les questions les plus variées me viennent à l'esprit...

« Pourquoi la publicité vestimentaire devrait-elle recourir uniquement aux modèles de la beauté et de l'insouciance, alors que nous sommes environnés de problèmes et de questions insolubles ? Si la publicité se donne le droit de nous inonder quotidiennement de ces demi-vérités aussi légères que stéréotypées, pourquoi devrait-on empêcher les faits les plus sérieux de notre réalité journalière d'accéder aux lieux les plus en vue, soit la rue, les panneaux d'affichage et les espaces publics ? »

Walter Binder m'a beaucoup appris. Un jour, l'école nous envoie au zoo de Zurich étudier les ours. L'un d'entre eux tournait en rond sans arrêt, un vrai malheur, atteint par la maladie de la cage. Le professeur de dessin, Karl Schmidt, un grand bonhomme, me dit :

« Oliviero, choisis un moment où la position de l'ours te plaît le plus et dessine-le ! »

Nous revenions au zoo tous les jeudis. À chaque fois, je redessinais mon ours. À chaque fois, je trouvais une nouvelle attitude, qui me convenait mieux que la précédente. Une fois c'était la posture, une autre la gueule menaçante et le regard, une troisième la place des pattes, etc. Je compris bientôt : c'était infini ! L'ours faisait toujours les mêmes cercles derrière les grilles et pourtant, à chaque seconde, c'était riche, intéressant. Je m'éduquais l'œil. Je découvrais que le mouvement le plus simple, le plus répétitif foisonnait d'idées et de formes.

Pendant un autre cours nous devions dessiner le corps humain. J'essayais de croquer un bras, des muscles, je n'y arrivais pas, je peinais, une frustration totale. Merde, je voulais être photographe ! Le professeur me donna alors ce conseil remarquable :

« Oliviero, tu n'es pas un peintre, tu n'essayes même pas de le devenir ! Si tu ne veux pas dessiner le corps, alors capte seulement les volumes, l'air entre les volumes ou l'espace tout autour... »

J'apprenais. Pour créer, il faut changer de regard, trouver un angle d'attaque à soi, inventer une vision, s'exercer sans cesse à changer les règles, tourner les difficultés, se battre avec soi-même contre les clichés. J'ai commencé à dessiner les espaces plutôt que les sujets. J'ai appris à repérer les formes autour des choses, autour des lettres, autour des couleurs. Aujourd'hui je fais tout cela naturellement. Je vois tout de suite les espaces entre les formes. Par exemple entre deux S, je vois une femme ! J'ai l'œil pour savoir si les distances entre des volumes tiennent debout ou sont bancales. J'ai aussi retenu la leçon de l'ours dans sa cage. Regarder est un acte créateur. Le mouvement étant infini, c'est toi qui décide du moment où l'image prend forme, c'est toi qui crée le temps qui s'écoule, qui l'arrête, le transforme, selon ta démarche.

Oui, j'en étais sûr : « The times they are a changin »
(Bob Dylan)

La première année d'école nous étudiions le dessin, le modelage, le graphisme, jusqu'à l'organisation de happenings ! Nous travaillions avec des graphistes, des designers, des peintres, des architectes, toujours à discuter, à se remettre en cause. Il régnait une ambiance de créativité fantastique. J'ai vite compris que la photographie me convenait le mieux. Je m'y consacrais tant à l'école qu'au-dehors. À l'époque, je courais les concerts, je réalisais des photos des groupes, des musiciens, mais surtout du public. Je prenais les filles qui se déchaînaient, les dégaines, les visages, les danses de folie. Eux m'intéressaient, ma génération, avec ses couleurs, l'énergie, la joie de vivre, beaucoup plus que les guitaristes. Nous ne faisions pas de distinction entre le public des concerts et les chanteurs. Les musiciens et la foule formaient un même mouvement, les chansons exprimaient ce que nous pensions tous, les artistes étaient des nôtres, pas des idoles lointaines comme dans le star-system débilitant d'aujourd'hui. Je publiais ces photos dans les journaux qui commençaient à s'intéresser aux monuments qui secouaient la jeunesse, *Europeo* surtout. Je touchais un peu d'argent et je filais en stop en Angleterre, à Paris, à Milan.

À l'école, un de nos premiers travaux fut de photographier un œuf, tel quel, sur fond blanc, sur un papier 19 x 19 cm. Sur la première photo, on devait voir la texture. Sur la deuxième, la silhouette. Sur la troisième, une composition personnelle, etc. J'étais le cent unième élève à réaliser ce travail. Quand j'ai vu les quatre cents photos de mes prédécesseurs, j'ai compris. Toutes différentes ! Chacun offrait une vision personnelle, inédite, d'un œuf blanc sur fond blanc. Là un éclairage spécial. Ici des ombres, plus loin un style. J'étais de nouveau confronté à l'infini de la création. À l'absence de règles et d'académisme. J'ai retenu la leçon. Je continue aujourd'hui à conserver la même attitude critique. La créativité reste le domaine du doute, de la recherche, de la crise, de la fragilité. Si tu ne te mets pas en péril, si tu n'oses pas aller vers l'inconnu, tu recrées ce qui a déjà existé, tu cèdes aux clichés, aux habitudes.

Parfois je me dis : « Je n'ai pas le temps de réaliser ça », ou encore : « Je manque d'espace ». Et puis je me remets en cause. Je me dis : « Je vais profiter de ces difficultés, contourner l'obstacle, réinventer du temps et de l'espace ». J'ai appris à douter et j'ai aussi appris à aimer envers et contre tous. En ce temps, j'adorais la fameuse chanson de Bob Dylan, « The times they are a changin ».

Au bar Jamaïca de Milan, un type en costume cravate m'accoste : « Vous êtes photographe ? »

J'ai quitté l'école de Zurich le 30 mars 1965. Entretemps, en 1964, j'avais gagné un petit concours de photo. Grâce à ce prix, j'ai obtenu une carte qui m'a permis de voyager gratuitement sur les cinq continents, pendant huit mois. J'ai fait le tour du monde, l'appareil en bandoulière. Ce fut comme d'aller sur la lune ! J'avais 22 ans. J'arrivais à Singapour ou à New York, et je m'enfonçais dans la ville, seul, photographiant des univers inconnus, au gré des rencontres et de l'inspiration. La plus grande école, ce fut peut-être celle-ci. Je passais ma vie dans les avions, au bout du monde. À l'époque toutes les hôtesses de l'air avaient moins de 25 ans...

En sortant de l'école de Zurich, je me suis retrouvé, comme on dit, « sur le marché du travail ». J'habitais Milan, je sortais tous les soirs. Je fréquentais un bar d'artistes, de musiciens, de jeunes peintres, le Jamaïca. Nous étions en 1965, l'époque changeait très vite, toute la jeunesse écoutait les textes ravageurs de la pop musique, le

112

design transformait les cafés et les intérieurs, Milan s'amusait, la ville bougeait depuis que le centre avait bousculé la droite conservatrice.

Un jour un type en costume, sympathique, 40 ans, m'accoste au Jamaïca. On discute, je lui raconte mes débuts de photographe, l'école de Zurich, etc. Le gars m'explique qu'il est directeur artistique dans une agence de publicité et qu'il cherche des jeunes photographes. Il travaille avec l'État italien et lance ces jours-ci un nouveau tissu synthétique, un acrylique qui va révolutionner la confection. Ce monsieur a un gros problème, toutes les photos faites avec les photographes de son agence ne lui conviennent pas, mais pas du tout ! Elles font vieux jeu, ringard. Il a besoin d'un regard neuf. Il voudrait des photos avec trois filles vraiment d'aujourd'hui. Il me demande de m'en occuper.

J'accepte tout de suite. Le lendemain, je vais à la sortie d'un lycée de Milan et je branche trois mignonnes. Je leur donne rendez-vous dans une rue de Milan. Je loue une bicyclette et j'achète trois tee-shirts rayés. Les filles débarquent. Elles grimpent à trois sur le vélo et, pendant une demi-heure, elles s'amusent comme des folles. Depuis mes virées dans les concerts rock, j'avais l'habitude de saisir des images joyeuses, fraîches. Je fais un rouleau, trente-six poses, j'en choisis une dizaine et je les envoie au type de l'agence.

Dix jours passent, j'oublie cette histoire. Un soir, le cravaté m'appelle chez moi, très énervé.

« Oliviero, tes photos ont sidéré tout le monde ! Le grand patron de Rome veut que tu réalises la campagne.

113

Il m'a dit texto : " Le nouveau style est là, je veux ce photographe ! " »

Je bégaye une idiotie, le type ajoute :

« Oliviero écoute-moi bien, ta vie va changer... Je suis le directeur artistique d'une très grande agence. En Italie, nous travaillons encore à l'ancienne mode. Il faut que tu m'aides...

— Mais comment ?

—Tu vas venir à Rome parler avec la direction. Et tu vas exiger que nous changions notre manière de faire. Tu vas leur dire qu'il faut travailler avec des mannequins de Paris, des filles modernes, en voir plusieurs avant de choisir...

— Bon...

—Tu vas exiger d'utiliser du 24 x 36...

— Mais je ne travaille qu'en 24 x 36 !

— Très bien... Il faut aller les développer et les dupliquer en Suisse. Tu leur dis qu'il faut du 35 mm pour obtenir une meilleure qualité d'impression...

—Va bene...

— Tu ajoutes qu'il t'est impossible de faire plus d'une photo par jour, que tu as besoin de temps pour travailler !

— Je dois demander tout ça ?

— Oui ! Nous devons changer toute notre façon de faire, tu peux me donner un vrai coup de main ! Écoute, à la fin tu réclameras qu'on te paye 300 000 lires la photo...

— Mamma mia !

— C'est le prix du talent Oliviero... Il faut attirer le talent, tu comprends ? »

Quelques jours plus tard, je me présente à la direction

de l'agence. Quinze personnes m'attendent dans une salle de conférence. Des fonctionnaires coincés, qui n'avaient aucune idée de qui allait entrer. Quand ils me voient, leurs yeux s'écarquillent. Je suis habillé comme un perroquet, avec du jaune vif, du rouge cardinal, j'ai les cheveux longs, des bagues. Un arlequin au milieu d'un océan de costumes gris. La plupart des types affichent entre 40 et 50 ans, mais ils semblent tous vieux. En les regardant, je comprends que la société italienne est en train de muter. Si ces gens-là faisaient appel à moi, alors les mentalités bougeaient. Leur première réaction sera : « On ne pensait pas que vous étiez si jeune ». Je les sens choqués. Inquiets. Pourquoi la direction choisissait-elle un énergumène de 23 ans pour lancer une telle campagne ? À cette époque, les jeunes n'avaient aucune chance, on les traitait comme des gosses et des esclaves. Ils devaient se couper les cheveux, obéir et la fermer.

Mais le grand patron et le directeur artistique me font asseoir et présentent mes photos. Ils me congratulent. Ils veulent que je fasse une nouvelle série dans le même style. Enfin ils me disent : « Pour les photos suivantes, comment allez-vous faire ? » Je réponds très exactement ce que m'a conseillé mon complice le DA : prendre des filles dans les agences de mannequin, travailler en 24 x 36, une photo par jour, 300 000 lires la photo. J'ajoute très vite : « Et la moitié tout de suite ».

Dans la salle, c'est la stupeur. Les costumes gris ne gagnaient pas 300 000 lires par mois à l'époque. Un directeur de production proteste : « Mais c'est impossible de travailler en 24 x 36 ». Le directeur artistique me soutient, impose son point de vue. Grâce à moi, porte-parole de la nouvelle génération, il l'emporte enfin, contre cette bande de bureaucrates !

Je vivais la fable de la Cigale et la Fourmi à l'envers

Je réalise la série trois jours plus tard. Les photos seront bientôt publiées dans *il Giorno*, le premier journal italien à imprimer des doubles pages de pub en couleur. Par la suite, j'ai continué à travailler pour cette agence tout en poursuivant mes reportages sur les milieux rock. J'ai eu beaucoup de chance. Je gagnais de quoi vivre comme je l'entendais, à mes horaires, libre. Je perfectionnais ma culture visuelle. Je dévorais les magazines. J'adorais les photos de William Klein sur New York, les films de Méliès, les photos de villes vues d'avion, *les Mains dans les poches*, le film de Bellochio, les films de Jacques Tati. J'allais au festival du cinéma expérimental de Knock-le-Zout. Je me souviens du film *Notre-Dame-des-Turcs* de Carmelo Bene. On y voyait une Sainte Vierge avec une auréole, le manteau bleu, très peu vêtue, assise sur un lit défait, fumant et lisant le magazine féminin *Annabella*. J'aimais être désorienté, comme face aux cartes postales de De Chirico que m'offrait ma sœur quand j'étais enfant.

Je sortais sans arrêt. À l'époque on dansait tous les jours, on achetait des fringues dingues, les filles s'émancipaient. C'était l'histoire de la Cigale et la Fourmi, à l'envers. Les fourmis, les costumes gris, travaillaient tout l'été, ils amassaient peu d'argent, ils étaient tristes, ils s'ennuyaient. Ils se moquaient de nous, les hippies, les cigales, joyeuses, insouciantes, qui chantent et s'amusent sans cesse. Bon... Quand l'hiver vient, la fourmi travaille toujours, enfermée chez elle ou au bureau. Quand un soir on sonne à sa porte. C'est la cigale, au volant d'une superbe voiture, entourée d'une bande de jolies femmes. Elle part pour Paris. Un imprésario l'a repérée pendant l'été, tandis qu'elle chantait ! Il lui a signé un formidable contrat pour cet hiver, avec une grosse avance, un logement parisien. La fourmi la félicite et lui demande une faveur.

« Laquelle ? demande la cigale.

— Quand tu seras à Paris, va trouver un certain La Fontaine de ma part, un vieux moraliste... et dis-lui d'aller se faire foutre ! »

Nous étions une génération de cigales. Beaucoup d'entre nous étaient artistes, chanteurs, photographes, cinéastes, nous vivions pour le plaisir, nous voulions oublier la guerre, les drames de nos parents, créer notre art de vivre. Beaucoup d'entre nous ont réussi à séduire la société des fourmis, à les faire évoluer, à imposer leur style, à transformer la civilisation du métro-boulot-dodo.

Le style rock stimule toute la presse et séduit la photo de mode

À force de travailler pour des journaux de rock, les magazines de mode ont fait appel à moi. Le rock, la pop, avec ses excès, sa liberté d'allure, stimulaient le style de l'époque. J'ai toujours détesté les tiroirs, photo de pub d'un côté, de reportage de l'autre, ou de mode, etc. Toutes ces classifications interdisent de penser. Toutes les photos nous informent, nous émeuvent, font réfléchir. Quand la Terre sera devenue une pièce archéologique, les chercheurs ne feront pas de différence entre une photo de publicité, un reportage de guerre et un portrait. Toute la photo sera documentaire. Assez d'étiquettes inutiles ! Aujourd'hui la photo de pub crève d'insignifiance et de platitude à toujours vouloir faire « pub ». La photographie mérite mieux que ces querelles de genre. Elle n'est pas le parent pauvre de la peinture ni du cinéma. Elle reste et restera longtemps l'art majeur qui a inventé l'image moderne. Même la télévision ne l'évincera pas.

Bien sûr l'homme communique aussi à travers l'architecture, les films, de grandes émissions, mais les coûts deviennent si élevés, sans oublier l'obligation de travailler avec des équipes lourdes, que cela s'avère de plus en plus difficile. En revanche la photo la plus simple peut devenir un document fascinant. Elle ouvre un univers entier d'expression et de communication, à la portée d'un seul individu créateur. Elle part toujours du réel, même quand elle le modifie, le viole, l'efface. L'objectif s'ouvre et se ferme, juste le temps de laisser passer un filet de lumière, et le miracle se produit.

Nos photos de première communion les plus bêtes sont des documents historiques. Un photomaton oublié redevient quelques années plus tard un portrait génial. Toutes les vieilles photos nous attendrissent. Un instantané considéré comme laid ou raté sur le moment apparaît un jour comme un document irremplaçable. La photographie combine le grand art et la valeur documentaire. C'est un éternel appel au rêve et au souvenir, un instrument de critique sociale.

Années soixante-dix : je travaille à Elle, Vogue, Donna, Moda, *j'utilise des acteurs comme mannequins*

En 1965 la photo de mode devait se renouveler, évoluer, se raccorder aux nouveaux mouvements de société. Pensez qu'à l'époque une des directrices de *Vogue* s'était fait renvoyer pour avoir passé un mannequin noir en couverture. Le rock, le style de la rue, les nouveaux visages des filles, les changements d'attitude et des mœurs ont bouleversé l'imagerie de mode traditionnelle. Entre 1965 et 1970, j'ai travaillé à plusieurs journaux de mode italiens, comme *Donna, Moda, Vogue.* J'ai même participé à leur création. Je faisais beaucoup de portraits. Pour *Vogue Hommes* j'utilisais comme mannequins des acteurs — Depardieu et Patrick Dewaere à leurs débuts je me souviens —, des chanteurs de rock, des journalistes connus, même des têtes politiques. C'était la première fois. Aujourd'hui tout a changé, les mannequins sont omniprésentes, elles se prennent pour des stars ou des actrices, elles posent pour des fausses

119

scènes de cinéma alors qu'elles savent à peine marcher !

Je réalisais aussi des photos de mode dans la rue, au milieu des passants, à la manière de William Klein. J'aimais déjà le mélange des genres, les changements de contexte, l'inattendu.

J'ai longtemps travaillé à *Elle Paris* et participé au lancement des premiers numéros de *Elle* dans les pays étrangers. Je connais très bien tout ce petit monde de la mode de l'intérieur. Les rédactrices de mode, je les appelle « les Misérables ». Elles s'habillent toutes en noir, elles sont toujours tristes ou en colère, courbées sous le poids de leur immense responsabilité — annoncer la nouvelle tendance — et de leur sac Chanel ou Prada. Je suis content que leur travail soit enfin considéré, après des années de mépris. Sur un set photographique, elles sont devenues indispensables. Elles savent où trouver les bons accessoires, elles décident des associations de couleurs, elles repèrent les fautes de goût et les attentats au style. Mais ce sont des langues de vipère. J'en connais une qui pourfend Armani quand elle parle avec Versace, descend Versace quand elle discute avec Ferré, mais qui se retrouve toujours à la droite du couturier quand il offre le champagne. Quel monde de commères, superficiel, snob, méchant, mais tellement anxieux de se renouveler à chaque saison !

Je n'aime pas le luxe tape-à-l'œil, vulgaire, d'un Valentino. Pour moi il s'est arrêté de créer dans les années cinquante. Maintenant il habille les bourgeoises oisives qui passent la journée au téléphone.

120

Gianni Versace, avec ses tenues si riches, si chargées, devrait être le styliste du Vatican. Je le verrais bien redessiner la fourrure d'hermine de Jean-Paul II et les soutanes du clergé. Versace est un homme du Sud, un gréco-latin, très amusant, gai. Il pense très sérieusement que se montrer, frimer, est une mission. Il adore mettre trop de couleurs, surcharger de détails, il a trop de goût ! Sa gaieté le sauve. Chacun de ses défilés devient un grand cérémonial religieux, plein d'odeurs d'encens comme s'il voulait rivaliser avec le concile du Vatican.

Karl Lagerfeld s'effraie des pauvres, de la misère, de la laideur. Quand il passe en limousine dans un quartier défavorisé, je l'imagine s'envelopper le visage dans son châle. Il ne supporte pas qu'on lui parle du malheur, comme ces gens qui refusent d'aller voir un documentaire réaliste sur un pays dur ou une exposition qui s'intéresse au mauvais goût ou la laideur. Il n'enlève son foulard qu'en arrivant à Monte-Carlo.

Calvin Klein est une photocopieuse.

Issey Miyake reste mon styliste préféré. Tout en conservant sa culture japonaise, qualité et simplicité de formes, il a su accueillir l'ironie et l'absence de préjugés occidentales. À les réinterpréter.

Gianfranco Ferré est le styliste des maires italiens. Tout ce qu'il propose semble si officiel, avec toutes ces rayures, ces écharpes ! Quand il contestait à la faculté d'architecture, en 1968, si quelqu'un lui avait dit : « Gianfranco, tu seras couturier », il se serait suicidé sur place.

J'adore Gaultier. C'est un des rares stylistes à parler de notre époque, à oser inventer des habits absurdes, futuristes, inutiles, fusionnels. Regarder un défilé de Gaultier,

121

c'est comme s'enfoncer un morceau de fer dans la bouche. Cela a un goût âpre, insolite.

Moschino était un génie de l'image. Ses publicités m'ont toujours plu, si inventives, si critiques.

Ralph Lauren dessine tout ce qui a déjà été dessiné.

La styliste la plus douée, la plus folle, la plus iconoclaste reste pour moi Vivianne Westwood. Elle aussi a su capter les courants forts et dérangeants de l'époque, le punk, le décadent, l'outrance, elle ne se laisse pas conditionner par l'obligation de vendre et de plaire à tout le monde.

Aujourd'hui la mode ne se renouvelle plus. Elle tourne en rond, énerve le public, ne surprend plus. L'industrie la tue en imposant des règles draconiennes de marketing aux stylistes. Les intermédiaires entre la mode et le marché se sont multipliés par dix, ils dictent désormais leur loi, la vente à tout prix. Une seule styliste de talent, audacieuse, comme Westwood, me semble aujourd'hui plus utile à la mode que tous ces sbires du marketing.

1979. Avec la maison Esprit, je lance la campagne « Real People », les vrais gens posent pour la pub

En 1978 la société de confection Esprit de San Francisco, déjà célèbre aux États-Unis pour ses vêtements « basiques » —— tee-shirts, polos, chemises, etc. —— m'appelle pour que je m'occupe de leur communication. Le patron, Doug Tompkins, appréciait mes photos de mode dans la rue. C'était un homme simple, toujours en jeans, jamais la grosse tête. Même aujourd'hui, milliardaire, quand il passe en Italie, il dort sur un canapé chez les copains. Il est resté fidèle à lui-même et à ses engagements écologiques toute sa vie. Il adorait les grands voyages, l'aventure, la nature, les sports exaltants comme l'escalade, le canoë-kayak.

J'ai d'abord refait le logo de la marque, puis les catalogues et les pubs. J'ai commencé par photographier des gens normaux, des étudiants, des lycéens, habillés en Esprit. Je me méfiais déjà des mannequins, le public qui fréquente les boutiques ne leur ressemble pas. J'ai toujours aimé les photos d'August Sanders, ces gens de tous les jours, saisis à leur travail, sans fioritures, « vrais ». Le régime fasciste les avait pressenties comme subversives, puisqu'il a fait détruire les archives de Sanders.

En 1979, pour Esprit, j'ai lancé la campagne « The Real People Campaign ». J'installais un ministudio, un fond blanc, dans les magasins Esprit et je photographiais les clients. Dans les pubs, nous les présentions avec une petite interview, une phrase intelligente qu'ils avaient inventée. Je me souviens d'un lycéen qui disait : « J'ai beaucoup plus appris en faisant l'amour qu'en étudiant la philosophie ». Les « vrais gens » faisaient irruption dans la publicité, avec leur visage, leur regard sur le monde. C'était pour Esprit une manière de les saluer et de se rapprocher d'eux. C'était la première fois.

Doug Tompkins a tout de suite compris que la vraie valeur d'un produit venait de la communication. Bien des marques japonaises ont compris cela, comme Seibu, la chaîne de magasins, avec ses affiches oniriques, ou comiques — un enfant nu, nageant sous l'eau les yeux grands ouverts, Woody Allen avec une tête sinistre déclarant : « La vie est merveilleuse », etc. —, toujours décalées.

Après cette campagne, on reconnaissait tout de suite l'image d'Esprit, le style « Real People ». Depuis, Esprit a continué sur cette lancée. Vous vous rappelez peut-être de l'histoire de ce coursier qui était passé dans un studio de photos ? Il avait la gueule marquée, dure, du trimard. Les gens d'Esprit lui ont demandé de poser pour la photo « Real People ». Il a accepté. On lui a demandé : « Qu'est-ce que vous feriez pour changer le monde ? » Il a répondu : « Je voudrais que tout un chacun passe deux jours de sa vie dans les rues, sans un centime en poche, il comprendrait ». La photo de ce coursier, avec sa gueule, son sac en bandoulière, sa proposition, a fait le tour du monde. La publicité n'ose plus créer ce genre d'images aujourd'hui. Elle montre le produit, et c'est fini !

Aujourd'hui Doug Tompkins a quitté Esprit. Il s'est retiré au Chili où il a acheté des centaines de milliers d'hectares qu'il a transformés en réserve écologique où on ne peut rien toucher. Le gouvernement chilien s'inquiète · il ne peut pas croire qu'un milliardaire puisse être si amoureux de la nature. Cela doit cacher quelque chose ! Doug a aussi créé une fondation écologique. D'habitude les milliardaires friment à Monaco, à Miami, sur la croisette, à Saint-Tropez. Pas lui. Il continue à voyager en jeans et baskets et à dormir sur un canapé chez les amis. Il y a quelques années, quand j'ai proposé ma démission à Benetton à la suite d'une guerre interne avec la direction du marketing, il a écrit une lettre extraordinaire à Luciano pour me défendre. Il a eu ce mot terrible : « Tu

laisses partir un créateur pour le remplacer par un " chien ",
un animal du marketing qu'on trouve partout. »

Hiver 1983, j'aide à l'accouchement d'un poulain, quand le téléphone sonne. C'est Luciano Benetton

En même temps qu'Esprit, je continuais à travailler
pour les grands journaux de mode. J'installais un studio
à New York et un à Paris. Entre-temps j'avais rejoint le
parti radical italien de Marco Pannella, un des mouvements politiques les plus radicaux d'Europe. Un des
premiers à se battre sur l'écologie, contre la situation
déplorable des prisonniers de droit commun à qui on
refuse de faire l'amour avec leurs femmes (comme ça se
passe en Suède), pour la dépénalisation du cannabis, le
premier à présenter une actrice pornographique
comme député, etc. Un esprit d'avant-garde nous ani-
mait, nous abordions des thèmes que les partis tradi-
tionnels méprisaient. Avec le parti radical, j'ai participé
à la création d'affiches politiques, de campagnes mili-
tantes, etc. Encore de la communication ! Je continue
aujourd'hui.

Pendant les années soixante-dix, je m'occupais
encore de l'image du groupe vestimentaire Fiorucci,
très connu des milieux branchés pour ses extravagances,
ses tenues colorées, fluo, ses imprimés modernes, ses
synthétiques. Fiorucci fut un grand novateur. Il fut un

des premiers à développer l'idée que la mode n'avait plus rien à voir avec la couture et la beauté, mais avec l'attitude et la façon d'être. Une fille n'avait plus besoin d'être belle pour avoir du style, du caractère. Grâce à Fiorucci, elle pouvait porter une tenue insolente, un pantalon en plastique panthère, un sac transparent, des chaussures à plate-forme, des jeans élastiques. Le style se personnalisait. Je réalisais les affiches des campagnes et des magasins dans cet état d'esprit. Je photographiais des filles provocantes, amusantes, moulées, ultracolorées, très sexy, dans la rue ou dans les restaurants « diner » américains. Ma photo la plus drôle fut celle d'un Père Noël, le pantalon rouge retroussé, en train de faire l'amour à une fille en Fiorucci, hilare, et secouant une cloche de Noël.

C'est Elio Fiorucci qui me présenta à Luciano Benetton en 1982, quand celui-ci racheta la moitié des parts du groupe. À l'époque, je pensais que Benetton se trompait en se présentant seulement comme une marque de prêt-à-porter de plus. À mon avis, il fallait qu'ils s'ancrent dans leur époque et montrent qu'ils comprenaient les nouvelles manières de vivre. Une année plus tard Luciano fit appel à moi. Il a raconté comment, dans un livre autobiographique. Une jolie histoire :

« La collaboration avec Oliviero commença dans une écurie pendant une nuit d'hiver 1983. Je l'appelai tard, il était en train d'assister à l'accouchement d'une de ses juments, Appaloosa.

" Ciao Oliviero, dis-je. Écoute un peu, je pense que nous allons vraiment avoir besoin d'une image de marque ". »

126

« Le poulain naquit quelques minutes plus tard. Ce minuit-là fut de bon augure et marqua la naissance d'une extraordinaire collaboration. »

Tout s'était passé en cinq minutes. Je ne savais pas à l'époque que j'allais rencontrer un esprit si ouvert, si audacieux. Il m'a toujours soutenu. Je suis fier d'avoir utilisé l'argent de sa marque, un petit budget comparé à celui des grandes compagnies équivalentes, à tenter d'inventer une nouvelle manière de communiquer.

7

Croix, svastika, Coca-Cola

« Prenons des grandes manufactures, comme Calvin Klein, Ralph Lauren, etc., leur publicité montre des êtres beaux, jeunes, exhibant leur corps, avec seulement quelques vêtements, un maillot, une paire de jeans. Mais attention, (...) souvent ces images font allusion (implicitement, obliquement) au viol ou l'assujettissement de la femme-enfant, ou encore à des provocations auxquelles le modèle macho est incapable de résister.

« Curieusement, les fantasmes érotiques ou les suggestions de viol dans les publicités de confection pour la jeunesse n'ont jamais donné lieu à la moindre objection. La nudité dans le style des débuts de l'époque nazie n'a jamais provoqué de scandale. La règle semble être la suivante : laissez faire l'imagination et nous vous laisserons tranquille. Benetton a choisi une autre approche. Progressivement, avec beaucoup de couleur, de suggestion et de jeu, avec quelques notes discordantes, il s'est rapproché de la réalité pour finir par l'étreindre. »

Furio Colombo,
journaliste new-yorkais,
article publié dans *Aperture*
et l'*Espresso*.

La plus grande campagne de publicité de l'histoire de l'humanité fut celle de Jésus-Christ. Elle a lancé un slogan universel : « Aimez-vous les uns les autres ». Et un logo admirable : la croix. Quand je déclare cela aux publicitaires d'aujourd'hui, ils tombent tous d'accord. Et pourtant ce sont les mêmes qui dénoncent les affiches Benetton comportant les photos d'actualité comme étant « abjectes » et « terroristes ». Là, je ne les comprends plus ! Car si Jésus-Christ et son agence Les Apôtres développèrent la plus grande campagne de communication de tous les temps, ce ne fut surtout pas avec une imagerie respectueuse et vendeuse de bonheur. Tout au contraire ! Un homme cloué nu sur une croix, un repas avec une parodie de cannibalisme, une séance de lapidation, des lépreux embrassés, des malheureux partout, des malades repoussants, une naissance dans une étable au milieu des merdes des animaux, des séances de tortures inouïes, le sang qui gicle des clous, la douleur d'une mère devant son fils mourant, on trouve dans ce clip *tout* ce que déteste la publicité. Sans compter, pour l'époque, la provocation aux idées reçues et le défi au pouvoir politique :

133

appeler à la fraternité avec les pauvres, au pardon des péchés, à l'aide aux misérables, à l'amour du prochain, au pacifisme, au respect des prostituées, etc.

S'ils voulaient vraiment saluer la communication de Jésus et ses apôtres, nos publicitaires devraient commencer par s'en inspirer. La légende de Jésus ne voile rien des souffrances et des violences du monde. Elle ne fait aucune concession pour rassurer son public. Elle lance la première grande « campagne institutionnelle » de l'histoire, sans chercher un profit immédiat, sans vanter directement les qualités du produit : le royaume de Dieu, qui ne surviendra qu'après des siècles et des siècles d'effort moral. Elle nous parle de rédemption, de bonheur éternel, en nous offrant un homme crucifié et sanglant, pas Claudia Schiffer en culotte Chanel. Et cette campagne est entrée pour deux millénaires dans l'imaginaire collectif.

Aujourd'hui la pub n'a jamais cette audace d'aller au-delà du produit qu'elle promeut, sans chercher des gains rapides. Sous la Renaissance, les grands producteurs et les mécènes de l'Église, l'agence Vatican, n'hésitaient pas à faire appel aux plus grands créateurs de leur époque, Michel-Ange, Léonard de Vinci, Raphaël, Le Benin, tant d'autres. Les églises furent pendant des siècles de remarquables foyers culturels, avec des écoles, des concerts, des grands musiciens, des bibliothèques, des fresques, des sculptures, des artistes et des maîtres. L'Église dépensait des sommes somptuaires pour promouvoir ses entreprises et ses idées.

La pub, elle, fait appel à des créatifs surveillés par le marketing, sommés de faire de la vente-produit, qui travaillent à la chaîne. Un directeur artistique — Dieu lui-même n'ose pas s'appeler ainsi ! — qui proposerait aujourd'hui une telle campagne — un Juif né entre trois rois immigrés, prenant sur lui toutes les souffrances du monde, fouetté à mort, agonisant en direct — se ferait renvoyer !

Les mannequins intouchables sont des vierges Marie sur papier glacé

À la fin de la guerre, j'avais 3 ans. Je dois mes premières émotions à l'imagerie religieuse. Nous avions fui Milan à cause des bombardements. Nous vivions dans un village de campagne, dans les montagnes, près de Bergame. En face de mon lit, une image du « cœur sacré » du Christ m'impressionnait beaucoup. Jésus était là, debout, dans un halo, tenant dans sa main un cœur saignant recouvert d'une croix. Quelle force ! Qui était-il ? Que faisait-il ? Je le voyais tous les matins, comme des milliers d'autres petits enfants à travers l'Italie. Ma première formation esthétique, dramaturgique, vient de cette image qui stimulait mon imagination.

Je me souviens aussi des premières cartes postales religieuses. Baroques, symboliques, effrayantes. Pendant des années je me suis demandé ce qu'elles signifiaient. J'ai cru quelque temps que la Vierge Marie offrant le cœur palpitant du Christ était un portrait de la bouchère du village. À l'époque, la télé n'existait pas, la publicité à peine. Les gravures religieuses, les illustrations des livres de catéchisme, les tableaux dans les églises étaient les premiers médias. C'était le seul univers de fantaisie et de fascination. J'y ai découvert le mystère, le sang, des femmes illuminées ou en pleurs, la mort, l'extase, la puissance des symboles. J'ai compris comment deux simples lignes coupées, la croix, pouvaient devenir un logo universel, chargé d'une intense force promotionnelle et morale. Quelle créativité ! On ne brûle pas une croix. On ne pisse pas contre une croix. Des gens se signent en la voyant. La pub devrait y réfléchir : la puissance d'un tel symbole vient du type ensanglanté cloué dessus pour avoir défié un tyran et voulu aimer les pauvres. Pas du style graphique !

La publicité vit toujours de l'apport fondamental de l'agence Les Apôtres à la communication. Elle cherche sans cesse des logos et des symboles universels. Elle se casse la tête à trouver des slogans qui deviennent des devises aussi simples et fortes que « Aimez-vous les uns les autres ». Elle couvre les magazines de femmes très belles, intouchables, des vierges sur papier glacé. Mais elle oublie tout le reste, toute l'imagerie pitoyable du chemin de croix, la violence des soldats, les corps blessés, la douleur acceptée comme une rédemption.

« Ne jamais parler de façon négative, éviter les textes profonds et le sens, surtout ne pas confronter le public au réel, faire simplet, penser que vous avez affaire à des sous-doués », voilà ce qu'on ne cesse de répéter dans les séminaires pour former les publicitaires.

Que d'âneries !

La campagne des jeans Jésus fait scandale : « Tu n'auras d'autres jeans que moi ! »

En 1966 je suis devenu ami avec un jeune industriel qui fabriquait des tee-shirts et des maillots de corps. Il est mort du sida aujourd'hui. C'était un fils à papa qui venait d'hériter de l'entreprise familiale de confections à Turin. Il se gara en Ferrari devant mon studio de la rive Ticinese, à Milan. Passionné par la photographie et les filles, il voulait devenir mon assistant. Il avait 22 ou 23 ans et je lui expliquai qu'être photographe, ça ne voulait pas dire se taper tous les mannequins. Il ne manquait pas d'audace : il avait confié à Jean-Charles de Castelbajac, qui se lançait comme styliste, une ligne de maillots de bain. Je lui disais : tu devrais faire du jean, toute la jeunesse se convertit, le jean est une attitude, un signe de ralliement.

En 1969, il vient me trouver à New York et me fait une proposition : je me lance dans le jean, tu vas faire la campagne de lancement. Nous nous baladions dans Broadway, où se jouait « Jésus-Christ superstar ». Aussitôt je lui conseille d'appeler ses jeans Jésus. « Tu es fou ! », s'écrie-t-il.

Puis il réfléchit.

Il demande à Castelbajac, l'idée emballe le jeune créateur. Je concocte la campagne. Je pensais que les Beatles avaient eu raison de dire qu'ils étaient aussi connus que Jésus-Christ. À cette époque, la philosophie beatnik, critique, pacifiste, prônant le plaisir et la liberté des mœurs, l'égalité des sexes, se développait dans la jeunesse occidentale, relayée jusqu'au bout du monde par les chansons des Beatles et le jean. Alors pourquoi pas un jean Jésus ? Pourquoi respecter les valeurs conservatrices de la société et l'Église ?

Je fais une photo close-up d'un pantalon avec le zip ouvert — homme ou femme ? — et nous allons trouver une petite agence de pub milanaise. Un des rédacteurs compose le premier slogan, parodiant les commandements religieux : « Tu n'auras d'autres jeans en dehors de moi ». Pour la seconde photo, je fais poser ma petite amie de l'époque en short très très court, comme aiment faire les filles. C'était à devenir fou ! Nous retournons à l'agence. Le second slogan est trouvé, « Qui m'aime me suive », juste sous ce derrière affolant.

Les affiches sont placardées dans toute l'Italie tandis que je retourne à New York.

Quelques jours plus tard, mon ami industriel me téléphone, affolé : « Tu n'imagines pas le scandale que la campagne a soulevé en Italie. Le Vatican et son journal, l'*Osservatore Romano*, nous attaquent ! »

En retournant en Italie, j'étais devenu un pestiféré. Nous étions critiqués de tous côtés, traités de « provocateurs » et d'« impies ». En Italie, dans les milieux réactionnaires catholiques, c'était encore très mal vu, pour une fille, juste de se balader en pantalon. Alors imaginez un jean Jésus ! Cela dit, dans la jeunesse, la campagne plaisait beaucoup.

Un matin j'ouvre le *Corriere della Sera* et je tombe sur un grand article de Pier Paolo Pasolini consacré à notre pub. À la fois mystique et révolutionnaire, il fut le premier Italien à comprendre, dans ses fameux *Écrits corsaires*, que le « vrai fascisme moderne » est celui que les sociologues ont « trop aimablement appelé la société de consommation ». Le premier à déplorer que la télévision assassine les cultures de la rue italienne, la tchatche, les argots, tout le fantastique théâtre des gestes, rivant le peuple devant le poste. Dans cet article, Pasolini comprenait toute la charge critique, humoristique, de notre campagne et s'en prenait... au conservatisme de l'Église. Celle-ci, écrivait-il, méritait qu'on appelle des jeans Jésus. Je cite cet article visionnaire :

« Ceux qui ont fabriqué ces jeans et qui les ont lancés sur le marché en se servant, comme slogan pragmatique, de l'un des Dix Commandements, démontrent, avec un manque certain de sentiment de culpabilité, qu'ils sont déjà hors du cercle dans lequel s'inscrit notre genre de vie et notre horizon mental. Il y a dans le cynisme de ce slogan une intensité et une innocence d'un genre absolument nouveau. (...) Dans son laconisme, il nous déclare d'une façon complète et définitive que les nouveaux industriels et les nouveaux techniciens sont complètement laïques, d'une laïcité qui ne se mesure même plus avec la religion. (...) »

Il ajoutait, ce qui traduit bien l'ouverture d'esprit de Pasolini : « Mais l'intérêt de ce slogan n'est pas purement négatif... Il met en lumière la possibilité imprévue de donner un sens idéologique, et donc de rendre expressif le langage du slogan et celui du monde industriel. »

Les publicitaires devraient méditer ce texte, écrit il y a

vingt-cinq ans, qui annonce une ère où le slogan et la publicité se chargeraient enfin de sens critique. Pasolini s'insurgea toute sa vie contre la langue et les techniques publicitaires destinées à nous pousser à consommer comme des veaux et à rétrécir la pensée. Il écrivait encore à propos des slogans de la pub, dans ce même article :

« Le slogan doit être expressif pour impressionner et convaincre. Mais son expressivité est monstrueuse parce qu'elle devient aussitôt stéréotypée. (...) Ainsi la fausse expressivité du slogan constitue le nec plus ultra de la nouvelle langue technique qui remplace partout les discours humanistes. Elle symbolise la vie linguistique du futur, c'est-à-dire d'un monde inexpressif, sans particularismes ni diversité de cultures, un monde normalisé et acculturé. »

La pub est une religion matérialiste, une monstruosité

La publicité moderne, de sa manière angélique, n'échappe pas à la mythologie chrétienne, mais elle prétend la réduire à quelques formules en croyant échapper à sa dramaturgie. La publicité nous fait miroiter le royaume de Dieu sans que nous fassions d'autre effort que l'acheter. Elle nous promet le paradis à crédit. Elle nous offre chaque jour des apparitions de divinités. Elle sacralise l'univers quotidien et profane qu'elle transfigure en une communion solennelle avec les produits miraculeux. Comme la religion, elle exploite la culpabilité de tous ceux qui ne méritent pas d'entrer au royaume des Élus de la consommation. La publicité, c'est le contraire de l'amour. Elle promet tout, mais ne donne rien. La publicité est le catéchisme de la religion de la consommation. Son imagerie niaise. Sa profession de foi. Elle nous vend la félicité comme hier l'Église vendait les « indulgences », ce qui déclencha la Réforme. À coup de fausses promesses, comme dans ce florilège à lire entre-coupé d'amen.

L'avenir c'est aujourd'hui (BNP), *C'est l'homme qui compte* (Findus), *Les hommes en liberté* (Mariner), *On peut toujours être plus belle* (Orlane), *Plus on vous regarde plus on vous aime* (Orly), *Des cheveux tout neufs* (Keranove), *La vie n'a jamais été aussi proche* (Roussel-Uclaf), *C'est beau la vie de tous les jours* (Habitat), etc.

La publicité est un livre de messe sans imagination, sans aucun sens du drame ni du mystère humain. C'est une religion matérialiste, une monstruosité. Pour les chrétiens, le paradis n'est pas de ce monde, le royaume annoncé se bâtit, après des siècles et des siècles de réflexion et d'épreuves. La pub, elle, confond miracle et porte-monnaie, les fresques de la chapelle Sixtine et catalogue sexy, musique sacrée et musak internationale, le rêve d'une autre vie et le paradis imbécile de la « fraîcheur de vivre », la pietà et la pépée.

8

Brainstorming, briefing, médiaplanning, bullshiting…

« En prenant des risques, Benetton a associé son nom à une photographie intense, controversée, parfois politique et souvent charmante, qui entend promouvoir la compréhension entre les différentes cultures du monde. Ces gens sont l'avant-garde en matière d'art publicitaire. »

Roy Lichtenstein,
peintre,
New York, 1994.

Entre 1965 et 1966, sans prévenir, quelques films bouleversent pour toujours la mise en scène de la violence au cinéma. Souvenez-vous de *Bonnie and Clyde* d'Arthur Penn ou de *la Poursuite impitoyable*, de *la Horde sauvage* de Sam Peckimpah. Pour la première fois, on voit les impacts des balles, le sang et la chair broyée. Finies ces bagarres terribles des westerns et des péplums de Cinecittà, avec des coups de table à terrasser des éléphants, où le héros se relève en souriant, toutes les dents intactes. Dans la décennie qui suit, le cinéma devient cru, physique, réel. Il suit la pente naturelle de tous les arts, il jette sa gourme, il oublie la censure et les codes obligés, il visite les facettes sombres et cachées de l'émotion humaine. Depuis, il ne s'est plus arrêté et a exploré les continents entiers qu'il négligeait : la folie, le sexe et la jouissance, l'horreur de la guerre, le crime, les passions dangereuses, la violence, le mystique, le sacré, etc.

La publicité, elle, en est restée au stade infantile de l'art et du culte naïf de la beauté. Comme les imbéciles, elle ne voit le beau que dans les choses belles.

Un siècle plus tôt, Baudelaire invente la littérature moderne en chantant la laideur fascinante des villes, les noirceurs de l'esprit, l'usure du corps. Ce sont les *Fleurs du Mal*, condamnées par la censure, dénoncées par les classiques. Baudelaire compose quelques-uns de ses plus grands poèmes sur l'ennui, l'ivresse, la souffrance physique, sur une charogne.

Cent cinquante ans plus tard, vous voyez souvent des scènes fortes ou les fleurs du mal dans les pubs ?

Après Baudelaire, chez les plus grands écrivains de ce siècle, dans les livres d'Henry Miller, de Céline, de Genet, chez Moravia, chez Malraux, chez Cioran, chez Beckett, dans les grands romans noirs américains, la souffrance, l'absurde de notre condition, la dureté de notre existence se présentent comme les attributs inséparables du quotidien. La littérature moderne se méfie des récits de bonheur. En quoi, au terme de ce siècle atroce, elle se montre la plus lucide.

Et la publicité ? Elle a un siècle de retard.

La peinture du XXe siècle a accompagné les crises, les révélations et les drames de la littérature. Elle est devenue provocante, tragique, subversive. Elle a sabordé les canons du bien peint et de l'académisme avec les impressionnistes. Elle s'est détachée de toute référence au réel et au Beau, avec l'abstraction, jusqu'à ce que l'artiste exprime enfin sa déchirure, une vision intime. La peinture s'est passionnée pour le minimal — Malevitch et son carré blanc sur fond blanc —, pour la décomposition — Francis Bacon, Jackson Pollock, Masson —, pour les performances et le body art. Elle a détourné la publicité avec Warhol, elle s'est emparée des nouvelles technologies pour mieux leur résister.

La pub s'est arrêtée à la peinture naïve, sans même l'audace d'un Douanier Rousseau. Elle l'a mis en musique avec des chansonnettes et des standards mille fois entendus, de la musique de grande surface ou d'ascenseur.

Moquette, meubles high-tech, langage codé, dircom, DA, vous êtes dans une agence de pub

À chaque rupture dans le consensus d'un art, de jeunes et vieux pontes, des soi-disant savants, des experts, des médias inquiets, l'opinion conservatrice de l'époque se sont indignés, poussant des cris d'orfraie, hurlant au scandale. À chaque fois, ils ont intenté des procès, réclamé la tête ou le bannissement des coupables. À chaque fois, ils se sont vite révélés ridicules, dépassés, accrochés à leurs prérogatives.

Il suffit de pénétrer dans n'importe quelle agence de pub autour du monde pour comprendre pourquoi les pubards sont des ânes. Vous arrivez dans un hall high-tech, tout en moquette, où une fille ravissante vous prévient que le « dircom » d'un annonceur et le « DA » assistent à un « meeting de créa » pour mettre au point la « head line » ou le « lay out », ou encore qu'il est en « brainstorming extérieur », entendez qu'il est parti boire un pot. Tout le milieu de la pub parle ce langage pseudo-technique américanisé qu'il présente comme étant les « concepts de base » de leur formidable « science de la com ». Bien sûr toute cette mise en scène ne sert qu'à impressionner le client et lui faire croire qu'il traite avec de vrais experts.

J'ai déjà assisté à des « meetings » pour discuter d'une campagne. Une quinzaine de « médiaplanners », de « directeurs de prod », de « créatifs » se retrouvent autour d'une table design et chacun y va de son petit avis pour justifier un salaire à faire pâlir une infirmière de nuit. Je propose une photo, aussitôt nos grands clercs me disent comment la faire, quel type de décor choisir, la couleur des vêtements à utiliser, la dimension des seins des mannequins, etc. Ensuite, ils se contredisent tous les uns les autres, défendent mordicus leurs petites idées, jouent les prophètes, annoncent un flop total si on utilise un mannequin métis ou de plus de 23 ans et au final n'importe quelle bonne idée finit par être banalisée et vidée de toute substance.

Je me souviens d'une campagne Lesieur pour l'agence Young & Rubicam. Ils étaient dix-neuf autour de la table ! C'était la cinquième réunion d'enculage de mouches — pardon, de préproduction d'un clip. À un moment, je me suis levé, j'ai pris le patron de Lesieur à part et je lui ai dit : « Monsieur, c'est vous qui payez tout le monde ici. Dix-neuf personnes, alors que deux suffiraient. Je perds mon temps. »
Évidemment je me suis fait détester.

L'agence, c'est le royaume de l'aseptisation et de la médiocrité. On y rencontre toujours un chef peureux, qui parle de droit divin — le point de vue du client — et qui coupe le cou à la moindre audace. Puis arrivent le directeur artistique et le directeur de la création. Ces deux-là prétendent détenir le Grand Savoir de l'Art. Ils ne doutent jamais de leur intervention. Dès qu'ils interviennent face à un véritable artiste — qui, lui, tâtonne, avance pas à pas — ils le brusquent, le terrorisent et finissent par lui couper les ailes. Cette tragédie se perpétue chaque jour, dans les agences du monde entier. Quand Gustave Eiffel a proposé de construire une tour de métal de trois cents mètres de haut en bord de Seine, on lui a ri au nez, les grands esprits hurlaient qu'on allait défigurer la capitale de la France. Seuls les artistes, les précurseurs l'ont salué. Aujourd'hui la tour Eiffel est le symbole de Paris.

Mais on continue à briser toutes les idées « tour Eiffel ».

Young & Rubicam et la « publicité des bons sentiments »

En Italie, l'agence Young & Rubicam a longtemps été dirigée par un homme décidé à laisser un nom dans le métier, Gavino Sanna. Il a inventé une théorie magnifique, la célèbre « publicité des bons sentiments ». Résultat, quels que soient les campagnes proposées, les marques et les clients en lice, les propositions de création des designers ou des photographes, notre publicitaire réduit tout à la cuisson pour nous resservir ses « bons sentiments ». À la fin, bien sûr, tous les clips, tous les visuels et tous les slogans sortis de l'agence se ressemblent : gentils, mielleux, sucrés. On finit par les confondre ! À ne plus reconnaître les marques. Alors pourquoi les passer à la moulinette des obsessions d'une agence et de ses directeurs de création ?

Pour ma part, après quelques expériences malheureuses, j'ai décidé de ne plus travailler avec une agence. Je me souviens de mes débuts à Benetton, quand Luciano m'a confié la conception de l'image de sa marque. Il travaillait avec deux agences qui s'occupaient de l'achat d'espace dans les médias : J. W. Thompson pour l'international et Eldorado pour la France. J'étais l'ami d'un des dirigeants associés d'Eldorado, Bruno Suter. Comme les prix remportés, les campagnes passaient par les agences ; on a cru dans le métier que toute la création venait d'Eldorado, alors que c'était faux. Finalement je me suis fâché avec eux. Je suis resté seul chez Benetton et j'ai rompu avec Eldorado. Qui a vite perdu de son prestige !

Ce fut ma dernière expérience avec une agence.

Chez Benetton, je créai bientôt une structure interne au groupe, afin que Luciano conserve un regard sur nos créations. À quoi servent les agences ? Ce sont presque toujours des intermédiaires inutiles quand la direction d'une entreprise possède un esprit assez ouvert pour créer en son sein une cellule de communication. Chaque entreprise possède une histoire spécifique, un métier, une image propre, des produits originaux. Les hommes qui l'animent savent mieux que quiconque la qualité de ce qu'ils produisent. Une agence extérieure parachute ses tics, alors qu'une structure interne profite de tout le savoir acquis par une marque. Il faut bien sûr qu'elle ne cède ni à la langue de bois ni aux exigences du seul marketing, mais elle peut très bien se passer d'une agence tout comme de ses « bons sentiments ».

Luciano Benetton me prend à part : « Tu ne dois pas écouter le marketing, tu dois écouter ton talent »

Quand j'ai commencé à travailler directement avec Luciano Benetton, j'ai vite compris combien c'était un homme extraordinaire, un mécène qui respecte la créativité, un esprit brillant et ouvert. Je me souviens de son intervention après la première altercation que j'ai eue avec un de ses directeurs. Luciano m'a vu sortir de son bureau, retourné, furieux, il m'a pris à part et il m'a dit : « Oliviero tu ne dois pas te laisser influencer par les directeurs des ventes, tu dois travailler en suivant ton instinct et ta créativité. Si tu les écoutes, demain les hommes du marketing vont te dire où placer ton appareil de photo, que les Noirs sont trop noirs et les Blancs trop blancs. Tu dois faire ce que tu crois, tu ne dois même pas m'écouter moi ! »

Sans Luciano, sans sa volonté de créer une communication originale, sans son soutien et sa protection, je ne serais pas resté longtemps à Benetton. J'ai rencontré très peu d'industriels et d'hommes d'affaires doués d'une aussi grande richesse d'esprit. Un exemple vous convaincra. En revenant du Japon, dans son avion privé, je me souviens, je lui dis un jour : « Luciano, tu devrais fonder une école de communication ».

Quinze jours après, il me fait visiter une grande villa de style paladien en ruines et me dit :

« Voilà, qu'est-ce que tu en penses ? Si nous faisions l'école ici ?

— Fantastico !

— Maintenant tu te débrouilles ! »

Luciano Benetton finance aujourd'hui une école de communication pour critiquer la communication, la Fabrica. J'en ai confié la conception à un brillant architecte japonais, Tadao Ando. La direction en revient à Godfrey Reggio, une des figures mystiques des États-Unis, réalisateur de la fameuse trilogie sur la création de l'univers et l'écologie planétaire Koyaanisqatsi-Powaqqatsi-Naqoyqatsi. Les élèves de la Fabrica étudieront le design, la photographie, le graphisme, la communication, les arts appliqués, avec des créateurs venus du monde entier, des esprits forts, iconoclastes, des rebelles autant que des hommes férus des technologies de pointe.

Luciano Benetton prend des risques, il s'entoure d'artistes, il leur donne des moyens, il crée une école d'avant-garde, c'est un Laurent le Magnifique de l'an 2000. Notre époque a besoin d'hommes comme lui, de mécènes. Venise n'aurait jamais été mise en chantier si on l'avait confiée à des publicitaires et leurs directeurs de marketing. Une ville entière bâtie sur l'eau, vous n'y pensez pas !

Nous offrons la direction de l'école Benetton à Fidel Castro

Une autre histoire concernant l'ouverture d'esprit de Luciano Benetton. Avant Godfrey Reggio, Luciano avait proposé la direction de la Fabrica à… Fidel Castro. C'était pendant l'été 1993. Nous étions à Cuba, pour ouvrir des magasins contre l'embargo américain. Bien sûr, on voit combien le pays a beaucoup souffert des privations, du système de parti unique, de l'économie communiste. Mais, malgré ces difficultés, malgré un scandaleux blocus international, ce n'est pas la famine comme en Asie, la médecine est gratuite, les gens possèdent une culture puissante, chaleureuse, musicale, littéraire. Ils restent fiers d'avoir résisté aux Américains. Un soir, nous sommes invités à dîner par Castro. Il y a les gardes, les traducteurs. Castro parle de l'embargo, puis de sa révolution, quand Luciano l'interrompt :

« Monsieur Castro, je crois que les révolutions, il faut les faire, et les continuer toute sa vie ! Ici, malgré les critiques, les gens croient encore en vous. Il faut continuer à les servir… »

Castro n'a pas relevé. En sortant du dîner, nous discutons avec Luciano et nous tombons d'accord : nous allons confier la direction de la Fabrica à Fidel Castro dès qu'il quittera le pouvoir. Il aurait trouvé un nouveau travail, et Cuba en aurait été libéré ! Luciano me charge de lui rédiger la proposition. Le 22 juillet, j'envoyais à Fidel Castro la lettre suivante, qui explique bien l'ambition de Luciano Benetton pour la Fabrica :

« Cher Fidel Castro,

Avec cette lettre je voudrais vous envoyer une invitation officielle : j'aimerais que vous deveniez le maestro des jeunes étudiants que nous allons accueillir dans notre école, la Fabrica. Des jeunes filles et garçons du monde entier s'y retrouveront pour échanger leurs connaissances dans un centre de recherche que nous avons appelé " Fabrica " car nous voulons y développer un savoir qui ne soit pas seulement théorique. En Afrique, en Asie, en Amérique latine, du nord au sud de notre planète, des millions de jeunes attendent d'être éclairés. Nous ouvrons cette école pour y abolir les différences de race et de classe, en préservant la diversité, voire en l'amplifiant, en réunissant ceux que, partout ailleurs, l'économie et la politique divisent. Les jeunes de la Fabrica s'échangeront ce qu'ils ont appris dans leur propre culture, ce qu'ils savent faire de leurs mains, ce que la vie leur a enseigné.

« Une telle école a besoin d'un maestro. Nous avons pensé à vous parce que nous n'avons pas oublié la force d'idéal que vous étiez capable de donner à votre peuple, la foi dans le renouveau que vous saviez distiller dans les jeunes générations au début de votre révolution.

« Dans un monde toujours plus conformiste, nous avons besoin pour notre Fabrica d'un maître en révolution. Nous pouvons nous permettre cela, parce que notre école naît dans un pays privilégié, même si nous allons tout faire pour barrer la route de la Fabrica à une invasion de privilégiés. (...)

« Cher Fidel, nous avons besoin de vous. De l'homme qui a réussi, en 1961, à alphabétiser cent mille personnes bientôt capables d'enseigner à lire et à écrire à un million d'analphabètes. Nous le demandons au dernier chef du communisme, à " l'ennemi " qu'il fallait combattre. Nous reconnaissons en vous un maestro, quelqu'un que nous sommes prêt à écouter avec un grand respect, un homme qui a beaucoup à nous apprendre. Le cycle que vous avez commencé peut se renouveler d'une autre façon, dans une nouvelle occasion. Voilà pourquoi nous vous invitons à diriger notre Fabrica. Nous croyons qu'elle peut devenir un formidable laboratoire pour une société meilleure.

Le 27 juillet 1993 »

Cette lettre illustre bien les préoccupations de la Fabrica. Elle montre que la démarche de Benetton ne se limite pas à vendre des pulls et à en faire la réclame. Fonder la Fabrica, bouleverser toute la communication publicitaire, soutenir un théâtre engagé en Afrique du Sud ou les associations les plus radicales dans la lutte contre le sida, tout cela n'a rien à voir avec de la promotion spectaculaire et du cynisme marchand, comme le prétendent les esprits bornés. Luciano Benetton est un chef d'entreprise ouvert sur son époque, responsable, réfléchissant à l'éthique du capitalisme.

Le pape de la pub italienne m'attaque dans une lettre ouverte

Cette réflexion, peu de publicitaires osent la mener. Voilà pourquoi je les critique si souvent. Gavino Sanna,

157

le pape de la Young & Rubicam en Italie, m'a adressé
une lettre ouverte dans le *Corriere della Sera* du mercredi
18 septembre 1992, pour répondre à mes campagnes et à
mes attaques contre les agences. On y lisait :

« Caro Oliviero,

Après avoir porté le cilice et cendré ma chevelure de
jais, je viens m'agenouiller à Canossa. Ton enseignement,
mais que dis-je, ta parole, nous offre à nous publicitaires
la seule délivrance possible. Tu nous as montré que la
publicité peut et doit avoir une fonction bien supérieure
à celle que nous, pauvres bornés, nous lui attribuons,
celle d'aider à vendre un produit. Aujourd'hui que nous
voyons ta parole devenir, littéralement, chair et sang,
dans tes plus récentes campagnes, nous rougissons à la
seule idée d'y avoir pensé. La publicité est une mission.
Je veux effacer l'image de ce " gavinosanna mielleux "
que j'étais, je veux devenir ton élève. Si je devais penser
à un affichage pour le lancement d'une nouvelle voiture, je ne commettrais pas l'erreur de montrer le produit — trop facile et trop primitif comme tu nous l'as
appris, Oliviero — mais je mettrais en pages une merde
6 x 6 pour faire penser aux gens : " Ah que c'était mieux
au bon vieux temps ", quand le problème de la pollution était représenté par les excréments inoffensifs des
chevaux et non par les gaz d'échappements. (...)

« Oliviero, tu n'as pas compris que nos spots ne sont
que des images ? C'est simplement de la " réclame "
comme on disait autrefois. Les gens n'ont pas besoin de
publicité, ils vivraient mieux sans elle et nous font un
plaisir en l'acceptant. Arrête de jouer aux prophètes. »

Trouvant que son propos caricaturait mon travail, je lui ai répondu par les mêmes voies quelques jours plus tard, en me moquant du refus total des publicitaires à s'intéresser au monde réel, bien au chaud dans leurs agences et se gavant de pâtes.

« Cher Sanna,

Alors c'est donc vrai, comme disait Hegel : " L'homme est à l'image de ce qu'il mange " ? Des quintaux et des quintaux de rigatoni, de spaghetti, de fusilli. Avec le ventre si plein, il est inévitable qu'il se sente engourdi et commence à regarder la réalité avec la vue un peu brouillée, surtout après avoir ingurgité trop de liqueur Amaro Averna.

« Mais pourquoi ne restes-tu pas bien tranquille dans ton bureau à l'épaisse moquette en pensant à la façon de plumer d'autres poulets Galletti Vallespluga ? Pourquoi veux-tu te mêler de questions plus grandes que toi — le racisme, le sida, la naissance ? Toi, tu dois continuer à montrer le produit, comme tu dis si bien. Car en ce qui concerne la merde, sache que l'artiste d'avant-garde Piero Manzoni l'a déjà mise en boîte dans les années soixante, avec une tout autre conscience culturelle. Tu arrives toujours trop tard ! Ou, bien mieux… je dirais que tu avances péniblement sans être jamais sur la bonne longueur d'ondes avec ton époque. (…)

« Tu fais bien de ressortir le mot " réclame " et de dire que tes photos ne sont que des images, rien d'autre. Tu fais partie des gens qu'on envoie se coucher après la pub. »

Cible ! Sociotype ! Réflexe d'achat !

Pendant deux décennies, les hommes d'entreprises, les clients des agences furent impressionnés par la frime des publicitaires. Ces industriels se sentaient mal à l'aise face à ces hommes au sabir scientifique, entourés d'assistantes canon, capables de produire des clips sexy à des prix brûlants, avec les plus beaux mannequins du centre-ville. J'ai vu bien des fois des entrepreneurs gênés de dire une bêtise et défendre maladroitement leur marque face à nos « pros » de la « créa ». Ceux-là proposaient de réaliser, pour un budget énorme, l'éternel spot sensuel au bout du monde, avec billets de première classe, blues standard, slogan neuneu, réalisateur copain — car la pub est un gang avec ses « coms », ses renvois d'ascenseur, ses tarifs, ses intimidations. On dirait les médecins de Molière, sauf qu'ils ne crient pas : « Le poumon ! le poumon ! » mais : « Cible ! Sociotype ! Réflexe d'achat ! Appel aux sens ! Budget ! » À l'époque, le client résistait mal, il sentait qu'il se faisait gruger, mais l'adorable assistante revenait à la charge, puis l'expert en « taux de pénétration », et il finissait par céder. De toute manière, il fallait bien investir le budget prévu.

Depuis quelques années, pour gâter le tout, la crise mondiale a rendu tout-puissant un nouvel acteur du monde publicitaire, le directeur de marketing, une engeance insensible à toute espèce de création. Avec lui, nous sommes entrés dans l'ère de la satisfaction servile du client inquiet. Toute espèce d'inventivité, de valeur créative ajoutée a été bannie, de crainte de retomber dans le système dépensier et mafieux d'avant.

On tourne tragiquement en rond.

Le jour où Claudia Schiffer, 18 ans, entra dans mon studio chez Elle

Une des recettes magiques proposées aujourd'hui au client s'appelle « Top model ». Je connais bien le système mannequin. Aucun photographe n'a travaillé autant pour *Elle* que moi entre 1975 et 1993. À *Elle*, j'ai fait la première photo d'Ines de la Fressange. Elle était habillée en homme, en smoking, fumant une cigarette, une couverture très androgyne. On me présentait toutes les nouvelles filles. Au printemps 1989, j'ai vu arriver une lycéenne allemande de 18 ans, Claudia Schiffer. Elle venait d'arriver à Paris. Pas de composite, pas de book. Je l'ai emmenée en Norvège, ensuite je l'ai beaucoup utilisée en pub, même pour les chaussures de ski Nordika. Quand je l'ai vu arriver, je me suis dit : ce sera une grande, elle est tellement inhumaine, martienne, froide, asexuée. C'est un beau Frigidaire allemand, une machine à laver, le fantasme pur de la belle Aryenne rose. *Some like it hot, some like it cold.* Elle était à la fois très romantique et très organisée, très intelligente. Elle a tout de suite compris le système mannequin. À 19 ans, elle gagnait déjà 30 à 40 millions de lires — 100 000 francs — pour une pub. Un jour, elle débarque au studio avec son fiancé, elle venait de l'aéroport. Aussitôt elle s'inquiète de qui va payer le taxi, cinquante francs. Voilà le système mannequin. Comme on les utilise de plus en plus, faute d'autres idées, comme on les sacralise comme des immenses stars, plus que Bardot ou Marilyn, les filles réclament de plus en plus d'argent. Elles refusent qu'on les photographie côté « mauvais profil », elles exigent de venir avec leurs maquilleuses. Ça en devient absurde. Paralysant.

J'appelle Naomi Campbell « Chocolatino », elle me traite de raciste

J'ai aussi travaillé avec Naomi. Je devais faire un film Lesieur, je voulais une fille noire. À l'époque, c'était tabou. Interdit. Seul Yves Saint Laurent osait faire défiler des Noires. Mais en pub, c'était compliqué. L'agence rechignait. Elle ne voulait pas d'ennui, il fallait faire le plus simple, le plus idiot, le moins dérangeant possible, comme d'habitude. Naomi m'avait été recommandée par un grand mannequin noir des années soixante-dix. Elle avait 14 ou 15 ans. C'était la grâce et la garce réunies. Son premier travail sérieux. Je tournais au studio de cinéma de Nice. Elle m'appelait « monsieur Toscani », moi « Chocolatino ». Ça l'énervait. C'était une fille très schématique, très noir contre blanc. J'ai lu plus tard qu'elle m'avait traité de raciste, à cause de ce surnom.

Depuis, elle est devenue une des figures de proue du système mannequin international. On lui fait vendre des voitures, du prêt-à-porter, des journaux pour garçons, bientôt des chocolats. Elle est devenue une image interchangeable, comme les autres, la Noire de service, une couleur sur la palette des fantasmes marchands. Toutes ces filles ont perdu leur personnalité. Même quand elles sautent, courent, rient, tout est faux, fabriqué. Ce sont des robots.

Un préservatif coûte cinq francs, le monde entier en parle. Une star coûte des millions et le public s'en fiche

Je me souviens d'un dîner à Milan avec des gens de publicité. J'étais assis à côté de Luciano, face au patron d'une grande marque de chaussures de sport. La discussion vient sur la pub et ce monsieur s'adresse à Luciano Benetton. Il me désigne et lui demande : « Je ne comprends pas ! Notre agence m'a fait dépenser une fortune pour acheter des grands sportifs comme Baggio, Boris Becker, Steffi Graf, et personne ne parle de notre communication, pas un seul journal, personne ! Et votre photographe là, il achète quelques préservatifs de toutes les couleurs dans un supermarché, il fait une seule photo, et on parle de Benetton dans le monde entier. J'ai dit à l'agence : " Quelque chose ne va pas, il faut changer quelque chose à votre système " ! »
Ce monsieur ignorait encore que la pub classique au

sens du système mannequin, des stars, du sempiternel
appel enjoué à la consommation, de la créativité étouf-
fée par le marketing, de la défection des artistes, de l'absence de signification d'époque, la pub est morte, mais
elle ne le sait pas encore.

9

Contre la monoculture

« Les affiches Benetton ne
m'ont jamais choqué. »

Ben,
artiste,
Paris.

Avez-vous vu cette récente publicité pour le thé Lipton Yellow ? Elle a été tournée dans l'Himalaya. Un acteur célèbre sort mal réveillé du bivouac et se fait un thé. Un ami le rejoint et ils savourent chacun une tasse fumante avec des sourires entendus. Le thé Lipton Yellow, c'est le Coca-Cola du thé. Que vous soyez en Asie, en Inde, à Ceylan ou en Amérique latine, vous êtes sûr d'en trouver. C'est un thé sans grand goût, un thé pour tout le monde, un thé pour ceux qui ne choisissent pas leur thé. Or cette publicité Lipton Yellow a été tournée dans un pays où poussent quelques-uns des meilleurs thés du monde, dont le célèbre thé de l'Himalaya. Lipton joue ici l'amalgame et tente de s'approprier la renommée d'une région fameuse pour son thé. On voit les sommets enneigés à l'horizon et le sachet de thé en premier plan, et rien d'autre, rien de ce pays fabuleux qui a pourtant suscité de formidables reportages, des documentaires sublimes.

Cette pub veut démontrer que même au bout du monde, au cœur des grandes régions à thé d'Asie, Lipton s'impose. Un bel exemple du colonialisme culturel des marques. Elle témoigne du développement irrésistible d'une monoculture mondiale, nivelée par la publicité.

La pub ne vend pas des produits mais un modèle de vie uniforme

Le public imagine mal à quel point ce qu'il consomme change la face du monde. Par exemple la synthétisation des arômes naturels par l'industrie agroalimentaire a acculé à la ruine l'économie de contrées entières sinon de pays du tiers-monde. Ainsi des milliers de paysans pauvres de Madagascar qui cultivaient la vanille, vivent aujourd'hui dans l'extrême misère suite à l'invention d'une vanille synthétique — beaucoup moins savoureuse. De la même manière, le bétail à hamburger, les bœufs et les vaches que l'Occident dévore en quantités astronomiques, avec une boulimie féroce, occupent aujourd'hui 24 % des terres cultivées de la planète. Un tiers des céréales mexicaines nourrissent ces bœufs afin que les Américains se goinfrent d'affreux Mac Donald. Un quart des terres cultivables du Brésil servent à l'alimentation du bœuf exporté. Ce, au détriment du maïs, des haricots et de toute la nourriture de base des paysans d'Amérique latine. Le business du bœuf pèse 40 milliards de dollars aux États-Unis. Un quart du cash américain vient de la « beaf connection ». Nous avons consacré un numéro entier de la revue *Colors* pour révéler ce colonialisme de la planète par le business du bœuf.

Avec ses déjections gigantesques, des dizaines de millions de tonnes de merde qui polluent l'eau et l'atmosphère !

Avec ses pubs naïves et criardes, omniprésentes, ses pubs pour hamburgers, ses Mac Do, ses Wimpy, ses Free Time, dans toutes les grandes villes du monde.

Ce que nous consommons en Occident change la face de la planète, parce que nos produits, notre mode de vie, nos habitudes alimentaires colonisent le monde entier. Soit. C'est la loi du capitalisme. Bientôt l'Asie va prendre sa revanche. En attendant, la publicité se charge de faire passer le message. Elle ne sert plus qu'à ça : convaincre les autres pays que la seule vie acceptable, la bonne diététique, le vrai art de vivre, c'est le nôtre. Au début du siècle, il existait dans chaque pays des dizaines de boissons rafraîchissantes, des sodas, des cocktails de jus de fruits. Et puis Coca-Cola a tout conquis. Son système de distribution et de publicité a supplanté tous les concurrents, le monde entier s'est mis au Coca. En Amérique latine il existe des excellentes boissons au guarana, toniques, délicieuses : elles sont plus difficiles à trouver qu'un Coca. La monoculture gagne chaque jour du terrain. Grâce à la pub.

Ainsi le petit déjeuner anglo-saxon s'est imposé sur les cinq continents avec les céréales Kellogg's. Maintenant on se tape le même breakfast dans tous les hôtels de la planète. Pourtant il existe dix autres manières de se régaler avec du maïs, comme la polenta en Italie, les galettes au Mexique, etc. Mais non, les obsessions « diététiques » de ce vieux réactionnaire de Kellogg ont conquis la terre, uniformisé les habitudes gustatives. Grâce à la pub.

171

Vous me direz, Benetton aussi vend ses pulls dans le monde entier. Oui, mais Benetton ne cherche pas à vendre une façon de vivre obligatoire avec ses pubs. Benetton ne martèle pas dans toutes ses affiches que ses pulls valent mieux que tous les autres.

La pub, on l'a vu, ne vend pas des produits, mais un mode de vie, un système social. Homogène. Relié à une industrie conquérante. Dans les pays pauvres, elle offre le modèle standard de l'existence occidentale bienheureuse, avec corn flakes le matin, hamburgers à midi, Ford pour les courses et Coca-Cola pour la soif d'aujourd'hui. Elle cherche par tous les moyens à sa disposition — subliminal, sexy, images d'opulence et de santé, libre jeunesse, etc. — à remplacer des goûts enracinés, des produits de qualité, détruisant les autres manières de vivre. Quand Christophe Colomb — d'où vient le mot « colonialisme », ne l'oublions jamais — et les conquistadores ont débarqué dans le Nouveau Monde, ils venaient piller mais aussi vendre leurs produits.

Vous imaginez les Indiens sur la berge, voyant arriver ces grands navires, toutes voiles gonflées, avec leurs grandes croix peintes ? Des hommes bardés de métal descendent, montant des chevaux, avec des bâtons qui lancent la foudre, qui tuent à trente mètres. Ce fut un choc technologique majeur. Quand la pub débarque aujourd'hui dans les pays communistes ou le tiers-monde, c'est toujours Christophe Colomb qui descend de bateau. Il cherche la richesse, bientôt l'Eldorado, il vient piller, acheter, moderniser, mais aussi vendre des produits et le style de vie qui marche avec. Voyez comme

172

Coca-Cola est devenu le symbole du capitalisme américain. À peine la première pub Coca-Cola a-t-elle été
affichée dans les rues de Pékin, l'image a fait le tour du
monde. C'était le symbole du changement de la Chine.
De son entrée dans le régime de la libre entreprise.

De la société de consommation.

La pub est la dernière idéologie conquérante

L'ouverture du premier Mac Donald à Moscou a pris
la même signification de changement politique qu'en
Chine. Aujourd'hui, dans les pays de l'Est, les populations
commencent à comprendre que le système libéral ne ressemble pas du tout à l'image idéale caricaturale qu'en
donne la pub. Elles découvrent le chômage, la remise en
cause des lois sociales, les fermetures d'entreprise, la crise,
l'enrichissement faramineux de quelques-uns, les mafias,
la prostitution massive, tous ces drames qui n'étaient pas
prévus dans les clips.

L'historien de l'art Achile Bonito Oliva, qui fut le
commissaire de la biennale de Venise 1993 — où je fus
invité à exposer ma campagne sur les sexes présentés
comme des photos d'identité —, a très bien décrit comment Coca-Cola n'était pas seulement une marque, mais
le symbole d'une croisade politique. Je le cite : « *In hoc
signo vinces*, tu vaincras par ce signe » — cette phrase qui
accompagne le symbole de la croix apparue dans les airs
à l'empereur Constantin avant la bataille contre

Maxence, et que l'empereur fit peindre sur son étendard, à la tête de son armée, est peut-être l'ancêtre des slogans publicitaires.

« Tu vaincras par ce signe », Coca-Cola semble le proclamer dans le monde entier en s'appuyant sur l'image politique des États-Unis, que l'on considère aujourd'hui comme la seule grande puissance mondiale. (...) L'optimisme productif américain confère à Coca-Cola une stratégie promotionnelle qui rivalise avec celle de la chrétienté, portée par son slogan guerrier. Inondant le champ de bataille commercial — et jusqu'en Iran — à la manière d'un terrain de base-ball, cette stratégie se fonde sur la paresse intellectuelle et l'activisme en matière de management, un monde adulte et adolescent à la fois. La boisson non alcoolique n'est pas seulement désaltérante. Elle est devenue le cliché victorieux et magique qui nous déclare : « Ceci n'est pas un Coca-Cola ».

Croix, svastika, Coca-Cola, la boucle de l'histoire de la pub se boucle. À l'Église, elle a emprunté la réclame pour le royaume de Dieu, le paradis sur terre, les miracles, les vierges sur papier glacé, la multiplication des petits pains, la puissance symbolique des logos universels et l'idée de la campagne institutionnelle. Elle a pris à la propagande communiste et nazie la mise en scène d'êtres supérieurs, sains, beaux, conquérants, futuristes, toujours souriants, excluant tous les autres. Avec Coca-Cola, elle colonise le monde grâce à la seule puissance de son imagerie joyeuse et ses frissons démocratiques. Elle n'a même plus besoin de parler, de convaincre, de lancer des idées, il lui suffit de coller partout ses logos et de nous hypnotiser avec ses mises en scène érotiques et ses clichés. L'icône remplace le verbe. L'image est devenue la vérité. Sa manifestation physique au-delà des mots. Bien sûr, tout dépend de quelle image !

Comment je me suis marié en photo, pas à la mairie ou à l'église

Aujourd'hui, le public croit ce qu'il voit à la télévision, aux actualités, dans les émissions, dans les pubs. On adhère à la vérité d'une image du journal télévisé, sans avoir assisté à l'action en direct. Tout a été rhabillé au montage, transformé par le cadrage, accéléré, ralenti, et pourtant c'est la vérité. La guerre du Golfe de la télé, c'est la vraie guerre du Golfe. La seule. Des dizaines et des dizaines de milliers d'Irakiens ont été tués, tout le système d'irrigation et d'eau potable du pays a été détruit, des milliers d'enfants meurent encore de diarrhée, faute de médicaments, mais personne ne le sait. La réalité c'est l'image télé. Un écran.

Chaque photo possède une force intrinsèque, suscite des fantasmes, réveille la mémoire, déclenche des correspondances, des interprétations, devient le réel. Moi je me suis marié en photo, pas en réalité ! J'étais dans un studio, occupé à photographier Kirsti, la femme que j'allais épouser beaucoup plus tard. Elle posait en robe de mariée de chez Dior. Nous vivions déjà ensemble. Pour rire, je choisis une chemise et une cravate iconoclaste avec la costumière et je demande à mon assistant de nous prendre en photo. Nous envoyons le tirage à nos amis, aux parents. Ils ont tous cru que nous étions mariés pour de vrai ! Devant le maire, avec des témoins. Les mères pleuraient, les pères nous félicitaient, la photo se retrouva encadrée, posée sur les buffets, accrochée au mur. Ils nous pressaient de questions : où avez-vous fait la cérémonie, devant qui ? Nous étions très embêtés. Nous racontions que c'était à Las Vegas. Nous nous sommes mariés légalement cinq ans après, pour notre premier enfant, après des histoires compliquées de visa. Aujourd'hui, pour se marier, il ne faut plus aller devant le maire ou un prêtre, mais chez le photographe.

C'est aussi vrai pour le business. Un exemple typique, le milliardaire Hammer. Il a fait fortune en Union soviétique. C'est lui qui a présenté Luciano Benetton en Russie. Un jour, il m'a raconté que sa crédibilité dans le monde communiste lui est venue d'une photo de lui à côté de Lénine. Il la montrait partout. Il était forcément un ami du pouvoir...

De la même manière, il faut ressembler à l'imagerie des pubs pour être classé dans les normes sociales, reconnu conforme, intégré, réel. La pub c'est le cliché de la réalité, donc c'est la réalité. La pub nous apprend comment nous comporter dans la société de consommation. Elle propose un modèle social : j'achète donc je suis. Plus vous vous rapprochez du modèle, plus vous incarnez le summum de la réussite moderne.

Cette formation se fait à notre insu, de façon inconsciente, elle impose ses critères, sa normalité, elle façonne nos goûts, nos réflexes. Nous devenons tous des fils de pub.

L'esprit pub envahit tout, feuilletons, journaux, magazines, téléachat

Je ne fais pas de distinction entre le système pub, le système télé et le système médiatique. Ils fonctionnent tous sur le même mode, avec les mêmes ficelles, le même style. Tous les grands magazines de la presse écrite mettent des top models à la une maintenant, pas seulement les journaux populaires et la presse de concierge. Les mannequins célèbres ont fait des centaines et des centaines de couvertures de journal, en plus de leurs milliers de pubs. On finit par confondre le rédactionnel du publicitaire.

À la télé, toutes les séries américaines fonctionnent dans le même registre « sympa » et fantasmatique que la pub. Des blondes canon, des bons sentiments, un univers aseptisé bien surveillé par la police, des méchants toujours punis, des belles voitures, la puissance associée à la consommation de marques repérées, le style clip à la « Miami Vice »... le style pub. Tous les jeux, les « Télé-achat », les « Juste Prix », marchent avec la pub, font de la pub, appellent à la consommation en promettant de formidables cadeaux publicitaires capables de changer la vie. Les émissions de variété ressemblent à d'énormes opérations de promotion. Les acteurs, les chanteurs se déplacent pour vendre leur disque, leur film. Ils viennent se montrer tout sourire, comme dans les pubs. Les présentateurs pendant ce temps-là, dans un décor de pub, n'arrêtent pas de faire de la pub pour leur émission entrecoupée de pub. Ils parlent de « mes invités », « ma question terrible », « mon disque coup de cœur » tandis que des beautés en décolleté leur tournent autour, la jupe courte, sans dire plus de trois mots, comme dans les pubs.

Nous entrons dans l'ère du posthumain

Nous vivons en dialyse permanente avec la télé et la pub, quatre à cinq heures par jour en Europe et aux États-Unis. Nous mangeons télé. Nous parlons télé. Nous pensons télé. Nous nous réveillons télé. Nous nous couchons télé. Nous désirons télé. Nous baisons télé, en érection devant les pubs sexy. La télé prolonge notre corps, notre esprit, excite nos nerfs, notre appétit. Nous ne sommes déjà plus humains, mais des hommes machines. Des semi-robots. Des esclaves. Nous sommes entrés dans le régime de la dictature télé, non violente, douce, publicitaire, la plus dangereuse. Le « cauchemar climatisé », soulevant puis assouvissant nos petits désirs de consommateur endormi, annoncé par Henry Miller. Nos grands théoriciens de la publicité ne s'en cachent d'ailleurs pas quand ils écrivent : « La publicité a tout envahi... Maître d'école de nos enfants, ils passent huit cents heures face à leur professeur et mille devant leur petit écran, fascinés par nos spots, elle aussi maître à vivre. Comme il est des maîtres à penser » (Jacques Séguéla).

En Italie, sous le gouvernement Berlusconi, nous

sommes devenus l'avant-garde de cette tyrannie nouvelle où les patrons de télévision deviennent les chefs politiques. Ils contrôlent l'image, donc la réalité. Les corps et les esprits. Une dictature douce, persuasive, subliminale, manipulée par des experts en audimat se met en place. La pire. Sans révolte possible. Sans prison, sans maton. Les écrans remplacent les barreaux. La vie par procuration se substitue à la vie tout court. Les plus grandes fêtes, les plus puissantes émotions deviennent virtuelles. La communication directe entre les hommes, dans la chaleur, la fête, le contact, l'humour, l'amour, la séduction, disparaît dans une pseudo-communication froide, électronique. La science-fiction, le meilleur des mondes de Huxley, est déjà là.

Bientôt le monde entier sera sous perfusion télé-pub. Nous entrerons dans un monde posthumain sponsorisé par Coca-Cola, Mac Donald, Microsoft et IBM, orchestré par des Berlusconi cybernéticiens. Nous vivrons dans une technosphère où tous les corps devenus inutiles seront combinés à des télés géantes et des ordinateurs équipés de « gants tactiles ». Nous ne sortirons plus de notre superbe « cottage électronique », nous suivrons en direct l'actualité du monde sans jamais l'avoir affrontée, gobant un journal télévisé mis en scène comme au cinéma. Nous pourrons tout acheter sans sortir du salon en pianotant l'écran interactif, alléchés par des publicités en 3D. Des écrans sensibles, capables de suivre les mouvements de nos pupilles, d'enregistrer et d'anticiper nos réactions et nos désirs, nous offrirons en permanence ce que nous rêvons. Grâce à des combinaisons cybersexe, nous escaladerons une Claudia Schiffer virtuelle à douze seins élastiques et nous tournerons des boutons pour obtenir l'excitation maximum. Le bonheur enfin.

Pourquoi j'ai jeté ma télé aux ordures

En Italie, je me suis fait éreinter parce que j'ai déclaré ne pas posséder de télévision. Je n'aurais jamais cru qu'il suffise de si peu pour devenir d'un seul coup « un intellectuel » et un contestataire. Sur l'hebdomadaire où j'étais accusé de ce crime, le grand Umberto Eco se battait « pour une troisième voie pour parler de la télévision ». À entendre ces journalistes, présentateurs, sociologues, aujourd'hui plus personne ne peut se passer de télévision, et surtout pas eux. Il faut, écrivait Eco, se résigner « une bonne fois pour toutes à considérer la télévision comme (...) les téléphones, les avions, les journaux et tous les autres instruments d'une civilisation avancée ». Dites-moi, est-ce que la télévision et ses milliards de fidèles de par le monde, qui passent trois à quatre heures par jour devant l'écran, a vraiment besoin d'être défendue par tous ces grands penseurs ? Est-il si urgent d'exalter un appareil électroménager abrutissant, moins utile qu'un réfrigérateur ou un fer à repasser ? La place que la presse écrite, les magazines réservent à la télévision me semble exorbitante. Faut-il encore en rajouter avec des débats abscons sur cette fameuse « troisième voie », quand la première écrase tout le monde ?

Un éditorialiste de la télé italienne se moque de ceux qui rejettent la télé, en affirmant qu' « ils passent leurs soirées en jouant à Trivial Pursuit et qu'ils n'ont peut-être pas de livres sur leurs étagères ». Je ne sais pas en quoi consiste cette « pursuit », mais ma sympathie va en tout cas au mot « trivial » et à ces déserteurs de l'écran. Qui a décrété que la télévision devait remplir les soirées des Italiens ? Pourquoi le seul choix, hormis les TV-din-ners, serait la lecture ? C'est idiot. On pourrait même égorger des enfants parce que l'on ne trouve rien de mieux à faire — en admettant qu'une émission de Pippo Baudo soit irrésistible au point d'attirer l'attention d'éventuels assassins ! Les Italiens, comme tous les peuples européens, se sont passé de télévision pendant quelques milliers d'années. La célèbre culture de la rue italienne, les joutes de blagues, la chanson, la tchatche, la drague, les gestes extraordinaires, s'est développée sans elle. Je n'éprouve aucun regret à ne pas posséder de poste, merde ! J'ai le droit de renoncer à vos vices sans être attaqué comme un être malfaisant.

Moi, pendant que vous regardez tous la boîte, je pré-fère jouer avec mes enfants, m'occuper de mes poulains, me balader à cheval au soleil couchant, discuter avec les amis ou faire l'amour avec ma femme. Je suis un posthu-main qui traîne les pieds.

10

Modèle turbo GTI
Quatre Cons En Moins

« La publicité a pour objectif de vendre un produit, donc de produire de l'argent. Théoriquement le gain devrait être proportionnel à l'impact populaire de la campagne. Pourtant les images issues de réalités difficiles, montrées par Toscani, ne mettent pas forcément en valeur le produit Benetton. La suggestion collective qu'elles inaugurent est avant tout symbolique. On assiste là, sans doute, à la mise en place de nouvelles formes de communication où l'objet à vanter peut disparaître et n'est plus que suggéré.

« Le passage du discours idéaliste et parfois faux de l'imagerie traditionnelle, à un discours plus réaliste, cruel ou impudique, parfois insoutenable, mais combien symbolique, n'est-il pas plus moral dans un rapport à l'argent équivalent ? »

Anne Geiser,
conservatrice du cabinet
des médailles,
Lausanne, Suisse.

En Italie, j'ai fait une campagne pour la sécurité routière. Des enquêtes révélaient que la moitié des accidentés de la route, et des morts, parmi les jeunes, survenaient à la sortie des boîtes de nuit. Les types fonçaient sur les routes pour frimer, pour épater les filles et les copains. Alors j'ai récupéré auprès de la police des photos de voitures accidentées. Certaines étaient extraordinaires, des vraies sculptures de César, à la fois esthétiques et dramatiques. J'ai choisi une photo d'une grosse voiture écrabouillée. J'ai collé cette image au milieu d'une grande affiche blanche. Au-dessus de la voiture en charpie, j'ai écrit le nombre de pistons et de soupapes, l'accélération de 0 à 100 km/h en six secondes, 120 chevaux moteur, GTI, à la manière des publicités.

En dessous, j'ai mis « Modèle Quatre Cons En Moins ».

Une partie de l'énorme budget publicitaire automobile devrait être consacrée à l'éducation des conducteurs, jouer un rôle social, préventif, et ne pas laisser ce rôle aux seules campagnes d'État. Je suis sûr que le public serait redevable à un constructeur de mener ce type de communication faisant appel à l'intelligence et la prudence.

Le tabac c'est comme la marijuana : il faut informer sur les dangers du plaisir

Même remarque pour les grandes marques de cigarettes. Elles n'ont jamais fait de campagne sur les vrais dangers de la nicotine et du tabac. Elles font parader des hommes à cheval dans des décors rupestres et oxygénés. Mais pourquoi prennent-elles les fumeurs pour des idiots ? Ils savent bien que le tabac est nocif. Que leur plaisir même les menace. Qu'ils sont dépendants. Pourquoi Philip Morris, Marlboro ou les régies ne financent-elles pas une brochure précise sur les méfaits de la nicotine — elle devient dangereuse à tel taux, au-dessus de tant de cigarettes vous risquez telle maladie, les pires moments et les moins dangereux pour fumer, les adresses des centres antitabac pour ceux qui éprouvent tel et tel malaise, etc. ?

Les États et les compagnies de papier à rouler auraient déjà dû lancer ce genre de campagne depuis longtemps sur la marijuana. Dans toute l'Europe, on a recensé plusieurs dizaines de millions de fumeurs de cannabis, tous très jeunes. Il serait temps de publier des brochures pour les pharmacies, qui expliqueraient les dangers exacts du joint et du tabac, comment éviter d'en devenir accros, les mélanges à éviter, les problèmes avec la conduite, etc.

Depuis quelques années, les grandes compagnies de cigarettes lancent des gigantesques campagnes de pub dans les pays du tiers-monde et en Asie, pour les encourager à fumer plus et compenser le manque à gagner dans les pays occidentaux, qui décrochent. On en connaît d'avance les conséquences sur la santé de ces pays, de gens pour qui fumer une américaine, comme de boire un Coca-Cola, c'est un peu participer au rêve occidental. Les gouvernements de ces pays feront payer un jour très cher aux grandes marques les conséquences de la tabagie et l'alcoolisme. Pourquoi ne pas réagir maintenant, quand on sait quels méfaits les tabacs ont générés en Europe et aux États-Unis ? Pourquoi éviter encore la question fondamentale, incontournable, de cette fin de siècle, celle de l'éthique du capitalisme et de la société de consommation ?

Pourquoi ne voit-on jamais une verge dressée dans les campagnes antisida ?

Les entreprises ont tort de ne jamais communiquer sur les dangers que présente l'usage immodéré de leurs produits. Le public finit par remettre en cause toute la publicité puis toute la consommation. Sans oublier l'arrivée dramatique du sida, qui pose un problème fatal à toute la pub. La question étant : comment communiquer sur les risques du plaisir, sans appeler à l'abstinence, que l'on sait impossible ?

D'innombrables campagnes de communication sur le sida et les préservatifs restent frileuses, bêtes et coincées. Elles n'osent jamais montrer l'acte sexuel et la jouissance qu'on y trouve. Pourtant le danger vient bien de là ! Il a fallu attendre les campagnes audacieuses d'Act Up pour

189

qu'on tienne enfin des propos clairs, montre le plaisir et les gestes qui vont avec, explique le « safe sex » sans tabou : non, cette fellation, cette sodomie, cette pénétration, ce cunnilingus, toutes ces activités belles et agréables ici filmées ne présentent pas de danger quand on utilise un préservatif, qui s'enfile ainsi sur une verge dressée, ou avec une barrière bucale, qui s'utilise de cette manière, etc.

Une telle démarche concerne bien sûr toutes les publicités pour tous les autres dangereux plaisirs de l'existence et de la consommation. Imaginez le cow-boy Marlboro déclarant : « J'essaye de fumer moins », ou encore : « Une clope après un bon repas, moins de dégâts ! ». Ou un conducteur de GTI disant : « Je ne m'éclate qu'en circuit fermé ».

Aux États-Unis, une association s'est créée pour lancer les campagnes que la publicité ne lance jamais. Elle s'appelle Direct Impact. Elle a été fondée par le musicien Michael Stipe du groupe rock REM et le réalisateur Jim McKay. Elle produit des clips sur des thèmes sociaux, des controverses publiques, ou pour lancer des bonnes idées. Ainsi un spot antiraciste montre des couples mixtes s'amusant, avec comme banc titre « Love knows no colors ». Un autre, signé du rapper KRS-One, défend des propos pacifistes. D'autres traitent du safe sexe, du harcèlement sexuel dans les entreprises et du recyclage des produits polluants. Certaines grandes marques suivent cette démarche presque politique comme les parfums Yves Rocher qui ont lancé pendant l'été 1995 une campagne européenne dénonçant la reprise des essais nucléaires français dans le Pacifique.

Le journaliste-écrivain new-yorkais Contardo Calligaris a aiguisé ces idées dans un article paru à São Paulo au Brésil : « La stratégie publicitaire selon Toscani parie sur l'idée qu'il reste peut-être possible de promouvoir une sorte d'universalité humaine, en reconnaissant et en utilisant précisément le pouvoir du marché. Une universalité qui ne se réduirait pas aux images stéréotypées d'un bonheur factice, propre au mode de communication dominant, la publicité. Son but n'est pas de détruire mais de modifier cet instrument culturel décisif de notre époque. Toscani se propose de faire apprécier les marques à travers la propagation de nouveaux messages. Ainsi la capacité communicative des marques déterminerait leur valeur. Les produits exerceraient leur attirance, moins par les promesses du miroir de Blanche-Neige (" Je suis la plus belle "), qu'à travers la qualité humaine, politique, voire intellectuelle et artistique, des messages diffusés par les producteurs. Les produits mêmes s'en trouveraient modifiés. (...)

« En fait, préférez-vous acheter une paire de jeans attiré par les chromos du Colorado ou les fesses féminines qu'ils vous promettent, ou parce que leur marque vous rappelle ce qui se passe dans la réalité, à Sarajevo par exemple ? La réponse n'est pas certaine. (...) Ce qui importe toutefois, ce n'est pas de choisir entre les clichés de la consommation et ceux des lumières. Finalement, il suffit que quelqu'un s'efforce de prouver que la publicité, expression principale de notre culture, peut communiquer quelque chose d'autre que ces mascarades de bonheur... »

La vraie histoire de Body Shop et de son engagement pour l'écologie

Quelques entreprises développent depuis des années une communication qui n'a plus rien à voir avec la pub. Certaines en soutenant des fondations, d'autres par le mécénat d'artistes ou en s'engageant pour des grandes causes. Voyez la démarche d'une entreprise comme Body Shop, qui produit des cosmétiques à base de produits naturels. Ses dirigeants, les Roddick, n'ont jamais voulu faire de la réclame directe pour leurs crèmes, leurs savons, leurs huiles pour le corps, etc. Ce sont de bons produits hypoallergéniques. Faut-il insister, dépenser des millions de dollars pour le répéter partout ? Les Roddick et Body Shop n'ont jamais tenté de traumatiser les femmes par des pubs insidieuses sur le vieillissement et la rapide dégradation de leur jeune beauté, en affichant des mannequins de rêve. Ils n'ont jamais vanté à coup de campagnes pseudo-scientifiques l'efficacité « miracle » de leurs gels « antirides » et « antiâge ». Leur seule publicité consiste à offrir à leurs clients des sacs en papier recyclé ornés de grands textes sur l'écologie ou de conseils pour éviter de polluer son quartier. En Angleterre, Body Shop a encore investi un million et demi de francs pour lancer le journal *Big Issue*, la presse des SDF. Celui-ci s'est bientôt vendu à cent vingt mille exemplaires, ce qui lui a permis de continuer, avec des comptes transparents. À chaque journal vendu, un SDF, en plus de travailler, touche 2,40 francs. Anita Roddick, la patronne de Body Shop, a multiplié les déclarations

192

expliquant que les entreprises devaient inventer des solutions originales pour lutter contre la pollution, la misère et le sous-emploi dans nos pays.

Elle ne se mobilise pas seulement par bonté d'âme et humanisme. Elle pense que les entreprises doivent agir dans un sens de solidarité sous peine de faillite catastrophique de notre système.

Une telle attitude a bien sûr suscité une intense communication autour de la marque Body Shop, hors publicité. On a ainsi appris que la société faisait travailler dans le monde entier des tribus et des villages du tiers-monde menacés, qui vendaient de cette manière leurs cultures vivrières. C'est le programme lancé par Anita Roddick, *Trade, no aid*, « le business, pas la charité ». Il s'agit de s'investir dans l'économie locale et de s'approvisionner auprès des producteurs défavorisés sans passer par les intermédiaires. Certains critiques leur ont reproché de faire du social pour mieux vendre et d'être cyniques. Encore ce raisonnement gauchiste idiot ! Une entreprise doit-elle abandonner toute démarche intelligente sur ses produits, leur fabrication, sa communication, parce que c'est une entreprise et qu'elle fait des bénéfices ?

*Bientôt le public demandera des comptes aux entre-
prises : « Polluez-vous ? Et vos lois sociales ? »*

Aujourd'hui un profond mouvement de réflexion sur
l'éthique du capitalisme se développe. Il était temps !
Des associations d'industriels se créent pour promouvoir
des actions sociales, repenser leur stratégie de développement en intégrant le souci de l'écologie, etc. Je pense
à l'Institut européen du mécénat humanitaire (IMH) —
auquel participent Rhône-Poulenc, Schneider, Axa,
Havas —, qui se bat contre la toxicomanie, l'illétrisme,
l'aide à la création d'entreprises de chômeurs. À l'Association française des entreprises pour l'insertion qui faci-
lite le retour au travail de SDF. Bien d'autres. Tous ces
groupements déploient une communication à ce jour
inconnue au sein comme à l'extérieur des entreprises.
Elles défendent l'idée anglo-saxonne de « l'entreprise
citoyenne », qui devrait succéder à la seule recherche du
profit pour le profit, au mépris de l'environnement, de
toute politique sociale interne, etc.
 Cette démarche va bien plus loin que le seul soutien à
des associations ou le mécénat ; il s'agit de s'interroger
sur la statégie même de production. Ainsi la marque de
vêtements de sports Patagonia redistribue 1 % de son
chiffre d'affaires dans des mouvements écologiques. Son
fondateur, Yvon Chouinard, présente chacun de ses catalogues en expliquant les responsabilités de sa société
concernant la pollution. Un jour, il a écrit que la production de chaque vêtement ayant « un impact négatif
sur l'environnement », il décidait d'abandonner un tiers

de ses lignes pour se consacrer à la confection de tenues solides et durables. Il critiquait l'esprit consumériste des années quatre-vingt. Je le cite : « Moins nous aurons de modèles, plus nous pourrons nous concentrer sur la qualité. (...) Selon nous, la clef de l'avenir de l'industrie du vêtement sera " − = + ", c'est-à-dire quelques vêtements de bonne qualité qui dureront longtemps. »

À Esprit, mon ami Doug Tompkins fut un des premiers à utiliser du papier recyclé pour ses emballages et son packaging. À mener campagne contre le sida. Ce mouvement ne s'arrêtera plus. Bientôt le public demandera de plus en plus de comptes aux entreprises : la production respecte-t-elle l'écologie, les lois sociales, la qualité, la santé des consommateurs, etc. ? Je me souviens d'un projet de publicité pour les chaussures de marche. Elle devait sortir un dimanche, le jour de l'ouverture de la chasse. Je proposais qu'on écrive sur la pub : « Chasseurs, pendant que vous prenez les oiseaux dans la forêt, votre femme prend les oiseaux de ceux qui ne vont pas à la chasse ! » Ce devait être signé : la chaussure qui aime la nature et les animaux. En italien l'expression « oiseau » désigne aussi le bijou des garçons. Aucun journal n'en a voulu. Ils avaient peur des mouvements de chasseurs. La presse apprend bientôt l'histoire. On m'accuse de traiter les chasseurs de cocus. Ceux-ci répondent par courrier : si cette pub passe, n'oubliez pas que nous sommes des millions et que nous pouvons boycotter les magasins Benetton.

Je n'ai jamais relancé cette pub. Mais je crois qu'une entreprise peut choisir ses clients. Par exemple, les écologistes contre les chasseurs ou les pollueurs. Chez Benetton, nous choisissons nos supports publicitaires, nous encourageons des journaux audacieux, ou qui se lancent.

J'espère qu'à ma manière, en développant une attitude critique du système publicitaire, en le secouant de l'intérieur, j'ai contribué à lancer une réflexion neuve sur la communication. La publicité ne pourra pas continuer longtemps à se voiler la face et à éviter soigneusement toute signification, toute utilité sociale et toute réflexion sur sa démarche.

Plusieurs fois, quand je débutais dans la publicité et la mode, me heurtant à des esprits bornés, un vrai mur, qui me demandaient de produire des campagnes imbéciles, je me suis dit : « Oliviero qu'est-ce que tu es en train de faire ? » J'avais l'impression d'être un collabo pendant la guerre, qui travaillait à abêtir et tyranniser les peuples. Et puis j'ai rencontré des chefs d'entreprise ouverts et conscients comme Doug Tompkins ou Luciano Benetton. J'ai pu enfin réfléchir à une communication surprenante, engagée, artistique, à oublier toute cette merde parfumée qu'on m'obligeait à produire.

Dans le prochain clip Benetton, je me moque ouvertement de la mode de luxe et du système mannequin. Une belle voiture se balade dans Paris. Le conducteur passe devant les boutiques de Cartier, de Chanel, place Vendôme et vante le charme tape-à-l'œil de la bourgeoisie. Il s'exalte : « Ah Paris, la ville lumière, ses grands couturiers, sa mode, son élégance ! » C'est tourné comme un film de vacances, la caméra bouge, rien à voir avec les pubs léchées et le flou artistique qu'on voit partout. Soudain la voiture s'arrête à un feu rouge et un type bronzé, un de ces laveurs de vitre qu'on rencontre dans toutes les capitales du monde, un immigré, un clandestin, un réfugié, se précipite. Il passe un coup d'éponge et vient demander une pièce à la fenêtre. Il arbore un grand sourire, il est sympathique, il porte un tee-shirt « United Colors of Benetton ». Ce type-là, on le voit tous les jours dans la rue, jamais dans une pub.

J'espère réaliser le prochain catalogue Benetton chez les Indiens zapatistes du Chiapas. Ces hommes vivent dans la jungle mexicaine, encerclés par l'armée gouvernementale, sur des terres qui leur appartenaient avant l'arrivée des colons espagnols. Ils demandent à vivre en paix, une réforme agraire, des sols plus fertiles. Leur révolte a rappelé au monde entier que la question indienne n'était pas résolue en Amérique latine. Ils l'ont déclenchée, occupant les terres, le jour même de l'entrée du Mexique dans l'Alena, le marché commun qui s'étend des États-Unis au Canada. Depuis, les paysans zapatistes vivent reclus dans le Chiapas, invisibles, derrière les check-point de l'armée mexicaine. Je veux les montrer au monde entier. J'ai donc écrit au « sub »-commandante Marcos, leur porte-parole, cet homme masqué qui écrit régulièrement aux journaux mexicains des lettres extraordinaires de style, de fantaisie et d'insolence — rien à voir avec la langue de bois des guérilleros d'hier — afin que les Zapatistes me reçoivent dans leur retraite. Voici la lettre que je leur ai envoyée :

« Cher sub-commandante Marcos,

Je m'appelle Oliviero Toscani et, depuis dix ans, je conçois les campagnes de communication de United Colors of Benetton... Depuis longtemps Benetton a choisi d'utiliser une grande part de son budget publicitaire pour communiquer sur les sujets les plus dramatiques de ce siècle : le sida, la guerre, le racisme, l'intolérance. Une manière de démontrer qu'une grande industrie est aussi un " acteur social ", et qu'elle peut instaurer un dialogue intelligent avec les " consommateurs ", qui pour nous sont avant tout des hommes. (...) Pour cela, dans les catalogues de nos nouvelles collections nous avons toujours photographié des " vraies gens " dans les lieux où ils vivent. (...)

« Cher sub-commandante Marcos, nous nous adressons à vous parce que nous sentons bien que la communication peut devenir une forme de lutte : nous vous demandons de donner la possibilité de photographier votre armée zapatiste, avec les hommes, les femmes, les enfants. Nous voudrions vous donner la parole et vous offrir la possibilité de montrer au monde entier la beauté des visages de ceux qui luttent au nom d'une grande idée. Nous pensons qu'un idéal rend plus lumineux et limpide le regard, et plus ouverte l'expression de ceux qui se battent pour le réaliser. Nous ne croyons pas à la fausse beauté de la propagande pour la consommation perpétuelle...

« Pour toutes ces raisons, nous voudrions trouver un accord avec vous, et vous offrir cette possibilité de faire connaître votre vie et votre histoire d'une manière nouvelle à travers un nouveau média. »

À ce jour, fin août 1995, je n'ai toujours pas reçu de réponse du sub-commandante.

Toute la pub est à réinventer.

Table

*Cet ouvrage a été composé par les ateliers du Dragon
et achevé d'imprimer sur presse Cameron
dans les ateliers de Bussière Camedan Imprimeries
à Saint-Amand-Montrond (Cher)
pour le compte des Éditions Hoëbeke
en octobre 1995*

ISBN : 2-905292-89-X
Dépôt légal : octobre 1995
N° d'impression : 1/2445

Imprimé en France